Einstern
Mathematik für Grundschulkinder

4

Themenheft 5
- Schriftliche Division
- Geometrie Teil 3 – Maßstab, Pläne, Umfang, Flächeninhalt

Erarbeitet von Roland Bauer und Jutta Maurach

In Zusammenarbeit mit der
Cornelsen Redaktion Grundschule

Mathematik für Grundschulkinder
Themenheft 5
Schriftliche Division
Geometrie Teil 3 –
Maßstab, Pläne,
Umfang, Flächeninhalt

Erarbeitet von:	Roland Bauer, Jutta Maurach
Fachliche Beratung:	Prof'in Dr. Silvia Wessolowski
Fachliche Beratung exekutive Funktionen:	Dr. Sabine Kubesch, INSTITUT BILDUNG plus, im Auftrag des ZNL TransferZentrum für Neurowissenschaften und Lernen, Ulm
Redaktion:	Peter Groß, Agnetha Heidtmann, Uwe Kugenbuch
Illustration:	Yo Rühmer
Umschlaggestaltung:	Cornelia Gründer, agentur corngreen, Leipzig
Layout und technische Umsetzung:	lernsatz.de

fex steht für *Förderung exekutiver Funktionen*. Hierbei werden neueste Erkenntnisse der kognitiven Neurowissenschaft zum spielerischen Training exekutiver Funktionen für die Praxis nutzbar gemacht. **fex** wurde vom **ZNL TransferZentrum für Neurowissenschaften und Lernen** *(www.znl-ulm.de)* an der Universität Ulm gemeinsam mit der **Wehrfritz GmbH** *(www.wehrfritz.com)* ins Leben gerufen. Der Cornelsen Verlag hat in Kooperation mit dem ZNL ein Konzept für die Förderung exekutiver Funktionen im Unterrichtswerk *Einstern* entwickelt.

Bildnachweis
12 (Geld) Europäische Union   **28** PROFIL Fotografie Marek Lange, Berlin
30 (Fliege) Fotolia/Eric Isselée, (Biene) Fotolia/Sylvie.C13, (Marienkäfer) Fotolia/Alekss, (Mücke) Fotolia/nechaevkon, (Schmetterling) Fotolia/mirkograul   **35** Peter Kast, Ingenieurbüro für Kartografie, Wismar   **36** BVG S+U-Bahn-Netzplan AB, Stand: 29. Januar 2016 © Kartographie Berliner Verkehrsbetriebe BVG

www.cornelsen.de

1. Auflage, 1. Druck 2017

Alle Drucke dieser Auflage sind inhaltlich unverändert
und können im Unterricht nebeneinander verwendet werden.

© 2017 Cornelsen Verlag GmbH, Berlin

Das Werk und seine Teile sind urheberrechtlich geschützt.
Jede Nutzung in anderen als den gesetzlich zugelassenen Fällen bedarf
der vorherigen schriftlichen Einwilligung des Verlages.
Hinweis zu den §§ 46, 52a UrhG: Weder das Werk noch seine Teile dürfen ohne eine
solche Einwilligung eingescannt und in ein Netzwerk eingestellt oder sonst öffentlich
zugänglich gemacht werden.
Dies gilt auch für Intranets von Schulen und sonstigen Bildungseinrichtungen.

Druck: Parzeller print & media GmbH & Co. KG, Fulda

ISBN 978-3-06-083702-1
ISBN 978-3-06-081947-8 (E-Book)

PEFC zertifiziert
Dieses Produkt stammt aus nachhaltig
bewirtschafteten Wäldern und kontrollierten
Quellen.

www.pefc.de

PEFC/04-31-1308

Inhaltsverzeichnis

Schriftliche Division

Schriftlich dividieren
- Vorübungen zur schriftlichen Division ausführen ... 5
- Die schriftliche Division kennenlernen (1) ... 6
- Die schriftliche Division kennenlernen (2) ... 7
- Die Sprechweise beim schriftlichen Dividieren kennenlernen ... 8
- Ohne Stellentafel dividieren – in Kurzform sprechen ... 9
- Mit der Überschlagsrechnung überprüfen ... 10
- Mit der Umkehraufgabe überprüfen ... 11
- Mit der Null beim Dividieren umgehen ... 12
- Fehler erkennen und verbessern ... 13
- Zu Sachsituationen passende Lösungswege finden ... 14
- Kommazahlen schriftlich dividieren ... 15
- Durch Zehnerzahlen dividieren ... 16
- Durch zweistellige Zahlen dividieren ... 17
- Schriftliche Division mit Rest kennenlernen ... 18

Teilbarkeitsregeln erarbeiten
- Die Teilbarkeit durch 2, 5, 10 und 4 feststellen ... 19
- Die Quersumme bestimmen ... 20
- Die Teilbarkeit durch 3 und 6 feststellen ... 21
- Mit Teilbarkeitsregeln umgehen ... 22

Zahlenrätsel und Knobeleien
- Passende Ziffern einsetzen ... 23
- Auf andere Weise schriftlich dividieren ... 24

Fachbegriffe und Rechenregeln
- Mathematische Fachbegriffe verwenden ... 25
- Mit Klammern rechnen ... 26
- Zahlenrätsel lösen und schreiben ... 27

Der Taschenrechner
- Den Taschenrechner kennenlernen ... 28
- Den Taschenrechner sinnvoll einsetzen ... 29

Maßstab und Pläne

Maßstab
- Die maßstäbliche Vergrößerung kennenlernen ... 30
- Die maßstäbliche Verkleinerung kennenlernen ... 31
- Nach vorgegebenem Maßstab vergrößern und verkleinern ... 32
- Das Klassenzimmer maßstäblich zeichnen ... 33

Pläne
- Einen Lageplan verstehen und nutzen ... 34
- Einem Stadtplan Informationen entnehmen ... 35
- Sich auf einem Schienennetz-Plan orientieren ... 36
- Sich im Kantenmodell orientieren ... 37

Umfang und Flächeninhalt
- Den Umfang von Figuren bestimmen ... 38
- Flächeninhalte bestimmen und vergleichen ... 39
- Umfang und Flächeninhalt bestimmen ... 40

Vorübungen zur schriftlichen Division ausführen

639 : 3 = ▨

Ich rechne mit Geld und verteile 639 € gleichmäßig an drei Leute.

     verteilt an 3:    200 € für jeden

     verteilt an 3:   10 € für jeden

     verteilt an 3:   3 € für jeden

Ich nutze Rechenbilder.

6 H : 3 = 2 H
3 Z : 3 = 1 Z
9 E : 3 = 3 E

Ich teile halbschriftlich.

639 : 3 = 213
600 : 3 = 200
 30 : 3 = 10
  9 : 3 =   3
639 : 3 = 213

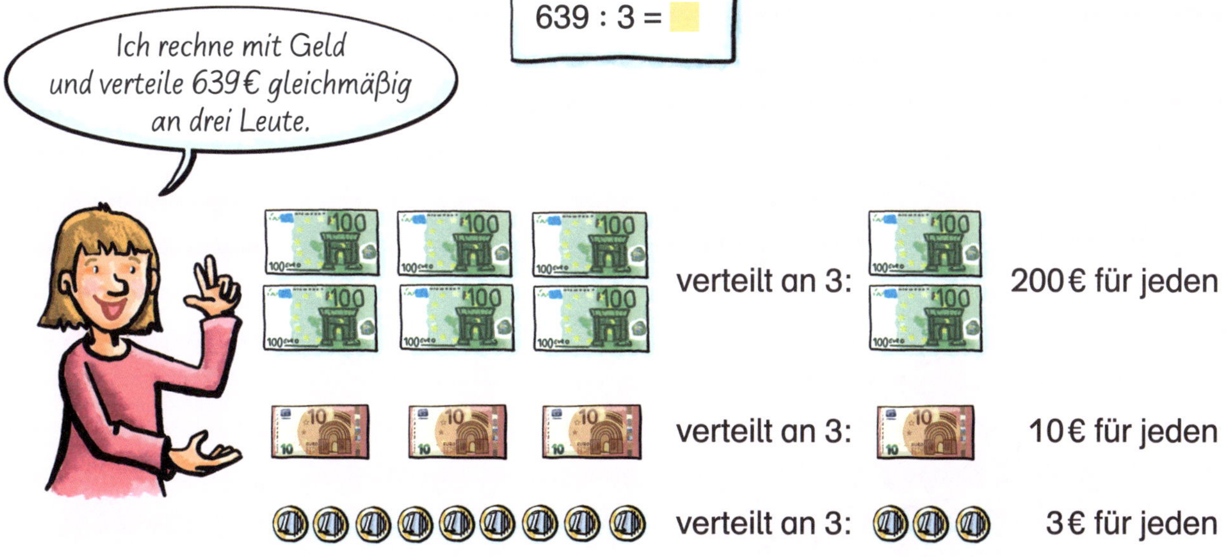

1 Bestimme auf mindestens eine Art die Lösungen. Vergleiche dein Vorgehen mit dem anderer Kinder.

a) 824 : 2 = ▨   b) 9 639 : 3 = ▨

c) 6 428 : 2 = ▨   d) 8 480 : 4 = ▨

Seite 5 Aufgabe 1

a) ...

*vergleichen und bewerten verschiedene Vorgehensweisen und Darstellungsformen beim Dividieren

Die schriftliche Division kennenlernen (1)

Beim schriftlichen Dividieren teilt man die einzelnen Stellen und schreibt Zwischenergebnisse auf.

639 : 3 = ▢

```
 H Z E         H Z E
 6 3 9 : 3  =  2 1 3
-6
 ―
 0 3
-  3
 ―――
   0 9
-    9
   ―――
     0
```

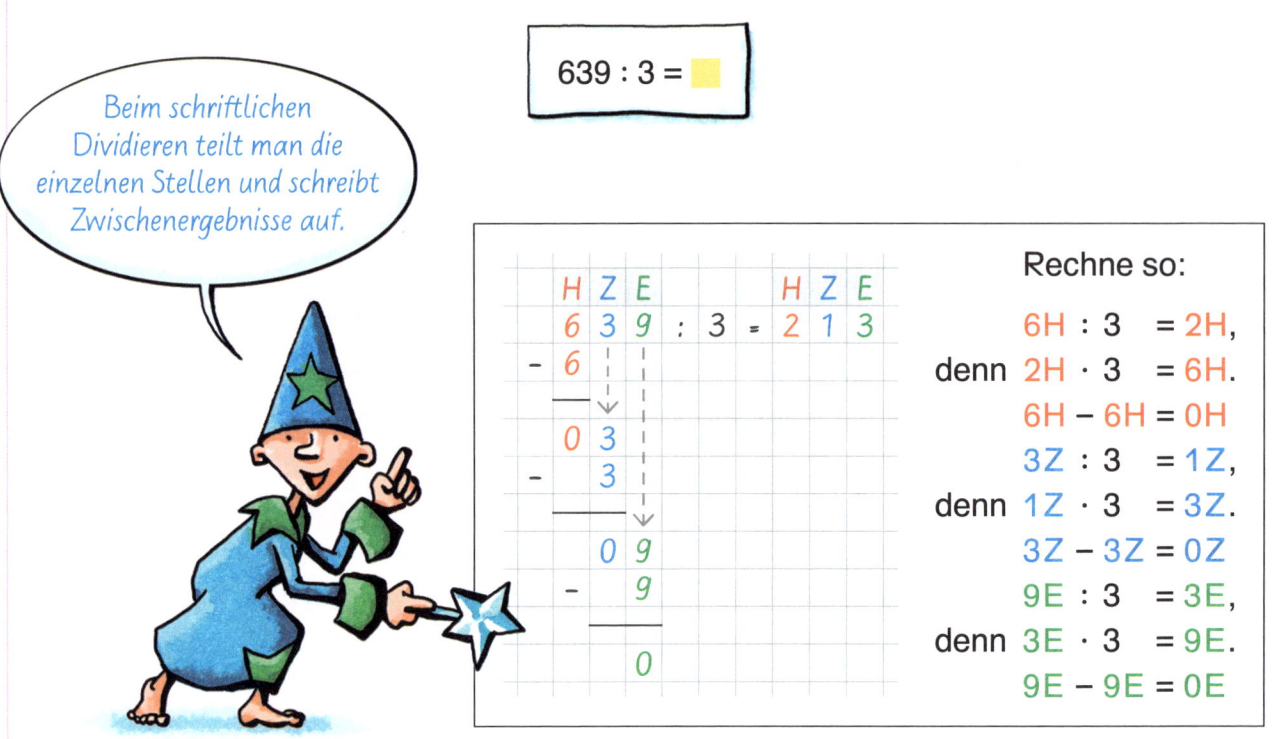

Rechne so:

6H : 3 = 2H,
denn 2H · 3 = 6H.
6H − 6H = 0H
3Z : 3 = 1Z,
denn 1Z · 3 = 3Z.
3Z − 3Z = 0Z
9E : 3 = 3E,
denn 3E · 3 = 9E.
9E − 9E = 0E

1 Übertrage die Aufgaben in dein Heft und rechne wie Einstern.

a) H Z E: 4 8 6 : 2 = ▢ ▢ ▢ (H Z E)

b) H Z E: 4 8 4 : 4 = ▢ ▢ ▢ (H Z E)

c) T H Z E: 4 8 6 2 : 2 = ▢ ▢ ▢ ▢ (T H Z E)

d) T H Z E: 4 8 8 4 : 4 = ▢ ▢ ▢ ▢ (T H Z E)

e) T H Z E: 9 3 6 9 : 3 = ▢ ▢ ▢ ▢ (T H Z E)

Seite 6 Aufgabe 1

```
a)  H Z E         H Z E
    4 8 6 : 2  =  2 4 ...
   -4
    ―
    0 8
   -  8
    ―――
      ⋮
b)  ...
```

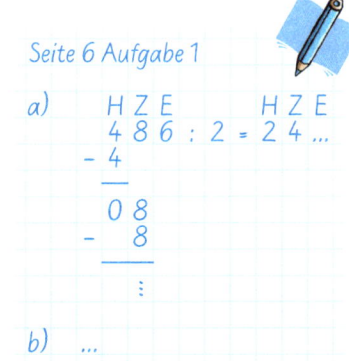

2 Bringe die Rechenschritte in die richtige Reihenfolge.

multiplizieren | subtrahieren | Zahl herunterholen | dividieren

Seite 6 Aufgabe 2

1. ...
2. ...
⋮

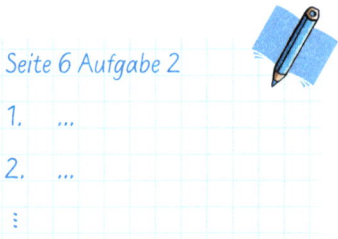

⋆ lernen das Verfahren der schriftlichen Division kennen
⋆ übertragen ihre Kenntnisse zu den Zahlensätzen des kleinen Einmaleins sowie des Einspluseins in größere Zahlenräume und verwenden dabei die Fachbegriffe subtrahieren, multiplizieren und dividieren

→ Ü Seite 48

Die schriftliche Division kennenlernen (2)

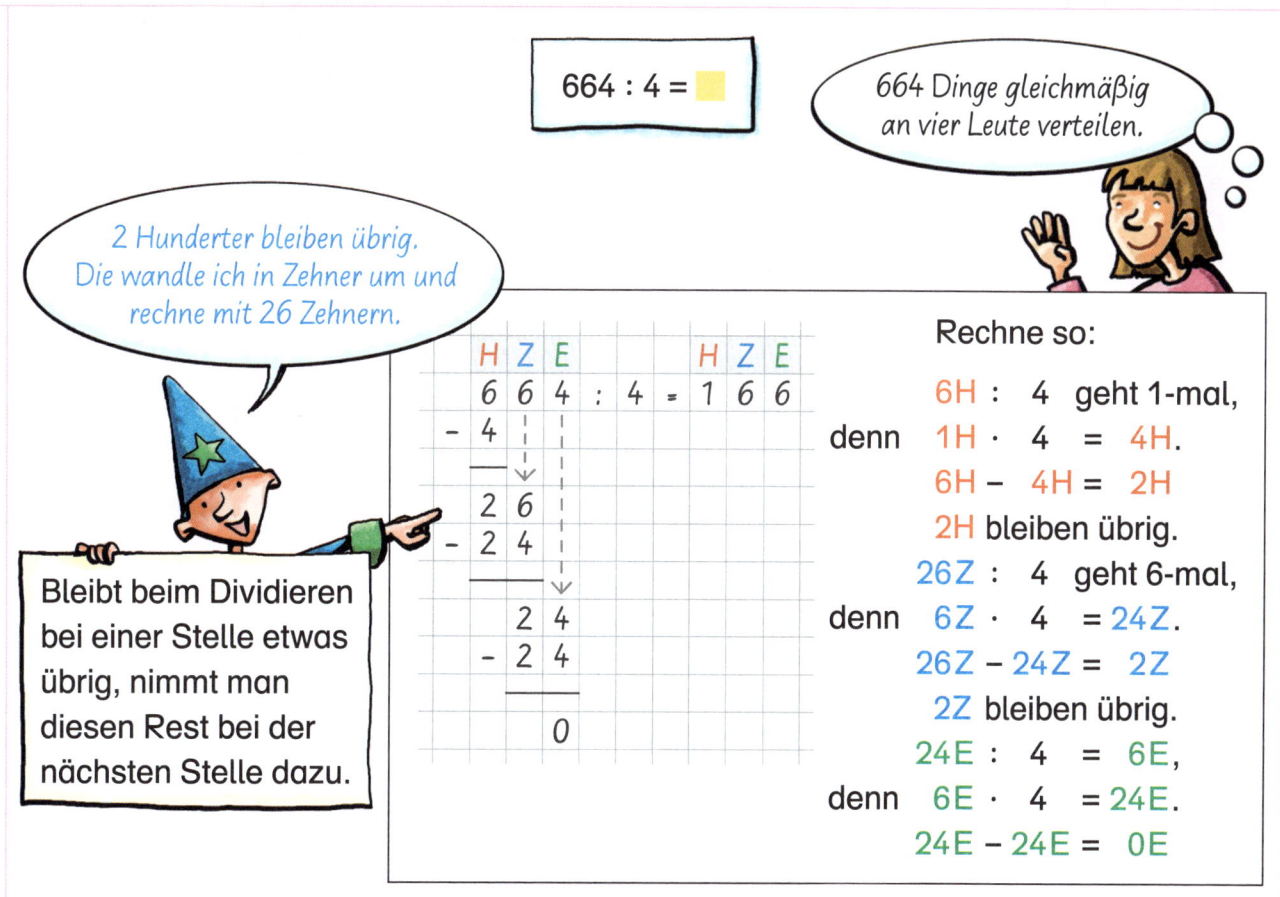

1 Dividiere mithilfe der Stellentafel.

a) H Z E : H Z E
765 : 5 =

b) H Z E : H Z E
531 : 3 =

c) H Z E : H Z E
764 : 4 =

d) T H Z E : T H Z E
8124 : 6 =

e) T H Z E : T H Z E
6285 : 5 =

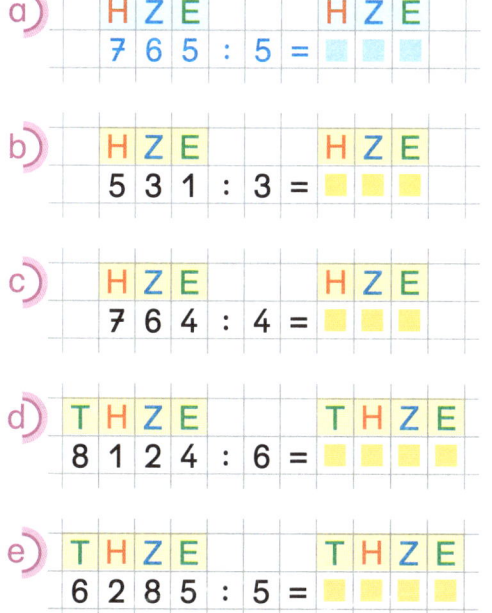
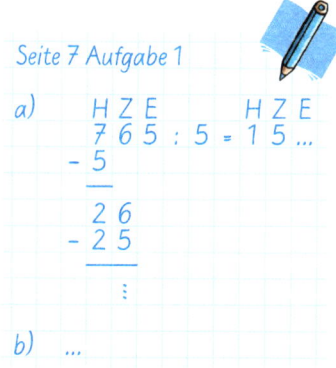

→ 8 5 32   → 3 5 27 32   → 6 4 9 10 50   ★9 ★4 ★5

→ AH Seite 56
→ Ü Seite 49

* nutzen das stellengerechte Vorgehen beim schriftlichen Dividieren
* übertragen ihre Kenntnisse zu den Zahlensätzen des kleinen Einmaleins sowie des Einspluseins in größere Zahlenräume und verwenden dabei Fachbegriffe

Die Sprechweise beim schriftlichen Dividieren kennenlernen

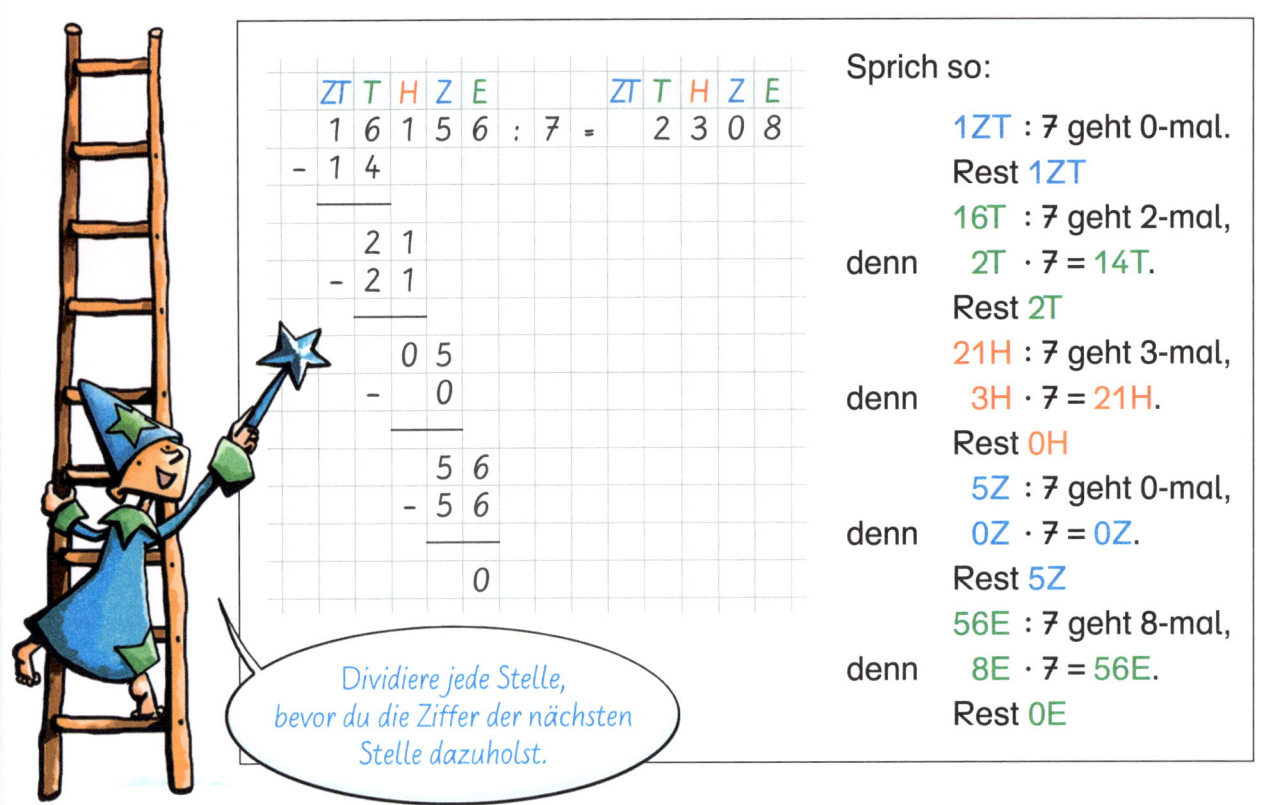

Sprich so:

1ZT : 7 geht 0-mal.
Rest 1ZT
16T : 7 geht 2-mal,
denn 2T · 7 = 14T.
Rest 2T
21H : 7 geht 3-mal,
denn 3H · 7 = 21H.
Rest 0H
5Z : 7 geht 0-mal,
denn 0Z · 7 = 0Z.
Rest 5Z
56E : 7 geht 8-mal,
denn 8E · 7 = 56E.
Rest 0E

Dividiere jede Stelle, bevor du die Ziffer der nächsten Stelle dazuholst.

1 Rechne schrittweise mithilfe der Stellentafel.
Sprich ausführlich wie oben.
Bitte ein anderes Kind, deine Sprechweise zu überprüfen.

a) 3735 : 5
   5922 : 9
   26312 : 8

b) 46221 : 7
   26316 : 4
   43745 : 5

c) 1284 : 3
   73488 : 8
   26436 : 6

Seite 8 Aufgabe 1
a) T H Z E   T H Z E
    3 7 3 5 : 5 = 7 …
   -3 5
    ⋮

b) …

2 Ordne die Sprechweise in der richtigen Reihenfolge.

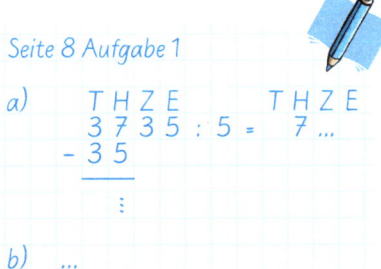

Seite 8 Aufgabe 2
E, …

A 33H : 8 geht 4-mal,
B Rest 3T
C 48E : 8 geht 6-mal,
D 12Z : 8 geht 1-mal,
E 3T : 8 geht 0-mal.
F denn 6E · 8 = 48E.
G Rest 4Z
H denn 4H · 8 = 32H.
I denn 1Z · 8 = 8Z.
K Rest 1H
L Rest 0E

* lösen Divisionsaufgaben im Zahlenraum bis 100 000 und wenden eine vorgegebene Sprechweise an
* übertragen ihre Kenntnisse zu den Zahlensätzen des kleinen Einmaleins sowie des Einspluseins in größere Zahlenräume und verwenden dabei Fachbegriffe

Ohne Stellentafel dividieren – in Kurzform sprechen

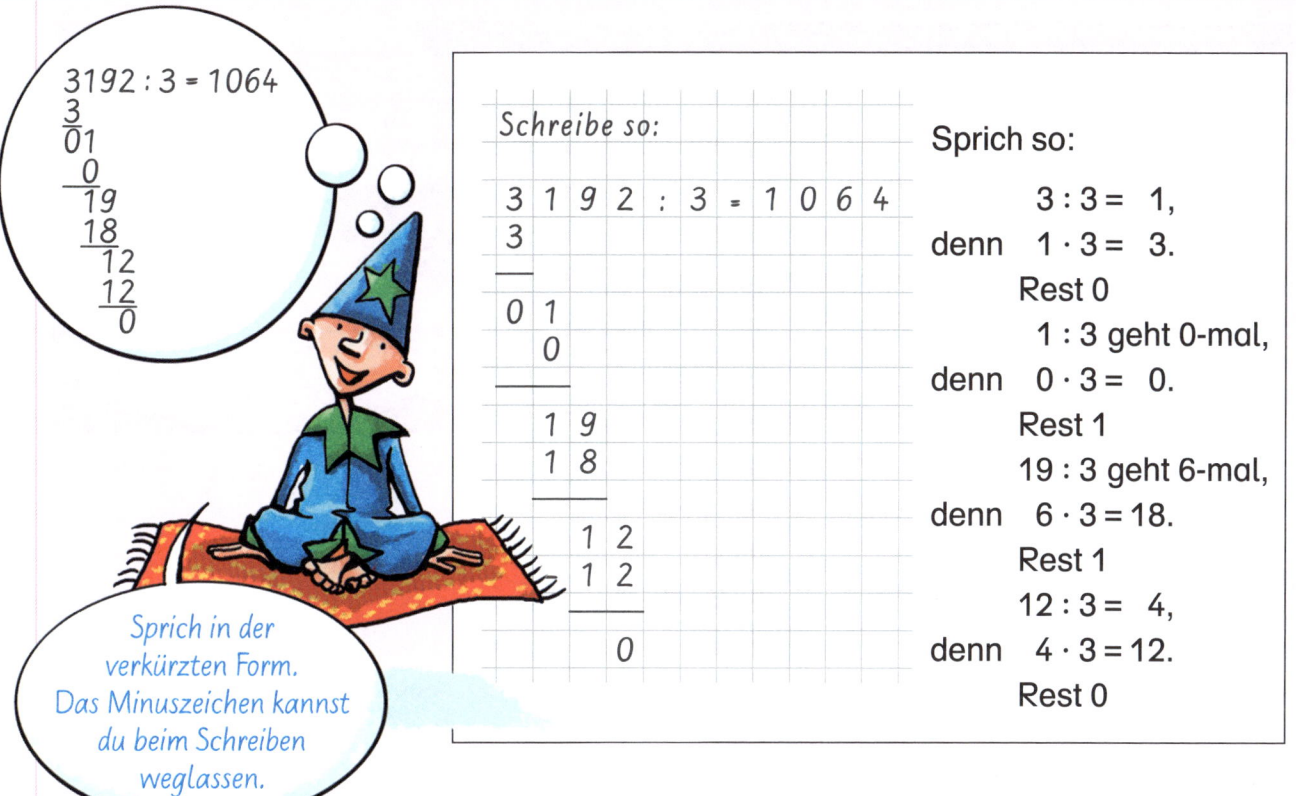

Sprich in der verkürzten Form. Das Minuszeichen kannst du beim Schreiben weglassen.

1 Rechne schriftlich ohne Stellentafel.
Achte darauf, die Stellen trotzdem genau untereinanderzuschreiben.
Sprich dazu in der Kurzform wie oben.
Bitte ein anderes Kind, deine Sprechweise zu überprüfen.

a) 8415 : 5 =
   6825 : 3 =
   4662 : 7 =

b) 9144 : 8 =
   1974 : 2 =
   3942 : 6 =

c) 25 613 : 7 =
   92 128 : 4 =
   24 723 : 3 =

d) 98 768 : 8 =
   43 735 : 5 =
   45 618 : 2 =

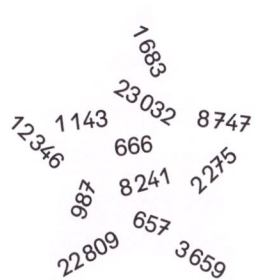

Seite 9 Aufgabe 1
a) 8 4 1 5 : 5 = 1 …
   5
   3 4
   ⋮
b) …

2 Finde mit einer Überschlagsrechnung heraus, durch welche Zahlen dividiert wurde.
Überprüfe durch schriftliches Dividieren.

a) 3548 : ☐ = 887
   4144 : ☐ = 592
   2752 : ☐ = 688

b) 23 841 : ☐ = 2649
   48 795 : ☐ = 9759
   76 328 : ☐ = 9541

Seite 9 Aufgabe 2
a) Ü: 3 6 0 0 : …
   ⋮
b) …

→ AH Seiten 57 und 58
→ Ü Seite 50

★ wenden beim Lösen von Divisionsaufgaben die Kurzform der Sprechweise an
★ überprüfen Ergebnisse durch Überschlag

Mit der Überschlagsrechnung überprüfen

1 Finde zu jeder Aufgabe eine Überschlagsrechnung.
Berechne das Ergebnis dann schriftlich.

a) 648 : 3
615 : 5
748 : 4

b) 1526 : 7
3268 : 4
1146 : 6

c) 19 215 : 9
32 326 : 7
14 824 : 8

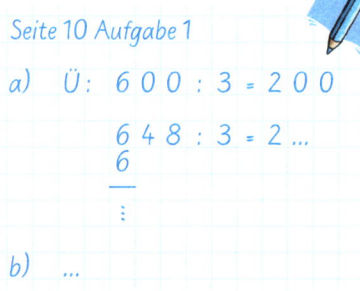

2 In jedem Aufgabenblock sind nur zwei Lösungen richtig.
Finde die falschen Ergebnisse durch Überschlagsrechnungen. Berechne dann die genauen Ergebnisse.

a) 1146 : 3 = 382
44 988 : 4 = 11 247
3984 : 4 = 523
16 625 : 7 = 284

b) 7254 : 9 = 86
21 672 : 6 = 3612
18 812 : 2 = 2146
43 384 : 8 = 5423

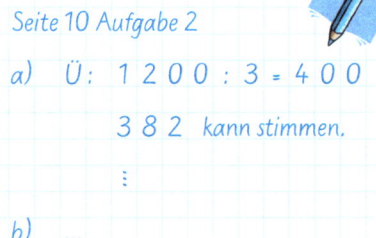

3 Mai-Lin liest in der Zeitung: *Jeder sechste Einwohner Deutschlands ist jünger als 18 Jahre. Jeder vierte Einwohner ist älter als 60 Jahre.*

a) Mai-Lin weiß, dass in ihrer Stadt etwa 60 400 Einwohner leben. Sie möchte die Zahlen für die Altersgruppen in ihrer Stadt berechnen. Genügt die Überschlagsrechnung oder muss sie genau rechnen? Besprich deine Überlegungen mit einem anderen Kind.

b) Berechne gemeinsam mit einem anderen Kind auch die Anteile für deinen Wohnort durch Überschlagen oder genaue Berechnung.

* begründen, ob Ergebnisse plausibel und richtig sind, indem sie Rechenfehler finden, erklären, korrigieren sowie Ergebnisse durch Überschlag oder Rückbezug auf den Sachzusammenhang überprüfen

Mit der Umkehraufgabe überprüfen

1 Dividiere schriftlich. Überprüfe dein Ergebnis mit der Umkehraufgabe.

a) 8652 : 7
8112 : 6
9891 : 3
6884 : 4

b) 48 545 : 7
65 836 : 4
19 629 : 3
94 212 : 9

Seite 11 Aufgabe 1

a) 8 6 5 2 : 7 = 1 …
⋮
Probe: …   · 7
⋮
b) …

2 Ordne den Aufgaben die passenden Umkehraufgaben zu.

a) 6951 : 3   b) 3496 : 8   c) 3276 : 7   d) 12 492 : 4
e) 63 168 : 7   f) 42 328 : 4   g) 158 535 : 3   h) 168 592 : 8

A   468 · 7   B   2317 · 3   C   10 582 · 4   D   3123 · 4
E   52 845 · 3 F   437 · 8   G   21 074 · 8   H   9024 · 7

Seite 11 Aufgabe 2

a) B   b) …

3 Rechne im Kopf die Umkehraufgaben als Überschlagsrechnung.
Finde so die fünf Aufgaben mit falschen Ergebnissen.
Schreibe sie in dein Heft und bestimme die richtigen Lösungen.

732 : 4 =   183
5765 : 5 = 1153
8952 : 8 = 1409
4833 : 9 =   359
5648 : 4 =   125

18 933 : 3 =   6311
25 284 : 7 =   3012
63 436 : 2 = 31 520
72 630 : 3 = 24 210
128 316 : 6 = 21 386

Seite 11 Aufgabe 3
…

4 Überlege und schreibe in deinem Lerntagebuch auf, worin sich die Ergebniskontrolle durch Überschlagsrechnung und die Ergebniskontrolle mithilfe der Umkehraufgabe unterscheiden.

→ AH Seiten 59 und 60
→ Ü Seite 51

* wenden automatisiert das schriftliche Divisionsverfahren an
* begründen, ob Ergebnisse plausibel und richtig sind, indem sie Rechenfehler finden und korrigieren sowie Ergebnisse durch Umkehraufgaben und deren Überschlag überprüfen

Mit der Null beim Dividieren umgehen

Oma hat Geld gewonnen.
Sie gibt den Gewinn von 1 208 €
an ihre vier Enkelkinder weiter.
Jedes Kind soll gleich viel bekommen.

T	H	Z	E			T	H	Z	E
1	2	0	8	:	4	=	3	0	2
1	2								

0 0
0

0 8
8

0

0 : 4 = 0
und
0 · 4 = 0

Ich muss jede Ziffer einzeln von oben herunterholen, teilen und das Ergebnis aufschreiben.

1 Übertrage die Aufgaben in dein Heft.
Dividiere mit der Stellentafel. Achte auf die Nullen.

a) T H Z E   T H Z E
   1 8 6 0 : 6 =

b) ZT T H Z E   ZT T H Z E
   4 9 0 6 3 : 7 =

c) ZT T H Z E   ZT T H Z E
   5 6 3 2 0 : 8 =

d) T H Z E   T H Z E
   2 7 0 9 : 3 =

Seite 12 Aufgabe 1

a) T H Z E   T H Z E   b) ...
   1 8 6 0 : 6 = 3 1 0
   1 8

   0 6
   6

   0 0
   0

   0

2 Berechne nun ohne Stellentafel.

a) 2 107 : 7   b) 45 018 : 9
    6 307 : 7   27 120 : 3
   15 035 : 5   148 024 : 8
    9 540 : 6   42 054 : 6

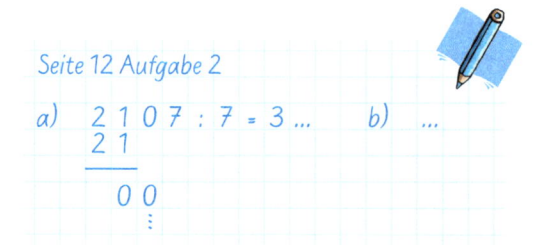

Seite 12 Aufgabe 2

a) 2 1 0 7 : 7 = 3 ...   b) ...
   2 1

   0 0
   ⋮

3 Notiere in deinem Lerntagebuch eine Aufgabe, bei der du schriftlich dividierst. Überlege und schreibe auf, worauf du dabei achten musst.

→ AH Seite 61

12 ★ lösen Divisionsaufgaben im Zahlenraum bis zur Million

Fehler erkennen und verbessern

Die Kinder sammeln falsch gelöste Aufgaben. Sie stellen sich gegenseitig die Fehler und Tipps zur Fehlerbeseitigung vor.

Lea: Ich muss jede Stelle dividieren, bevor ich die Ziffer der nächsten Stelle dazuhole.

Lisa: Wenn bei der Division durch 7 ein Rest von 7 oder mehr bleibt, muss ich noch einmal rechnen.

Janek: Auch wenn die nächste Stelle oben eine Null ist, muss ich sie nach unten holen und dividieren.

Tim: Ich kontrolliere alle Divisions- und Subtraktionsaufgaben.

① Auch andere Kinder haben beim Rechnen Fehler gemacht. Ordne sie den oben vorgestellten Fehlern zu. Rechne dann in deinem Heft richtig.

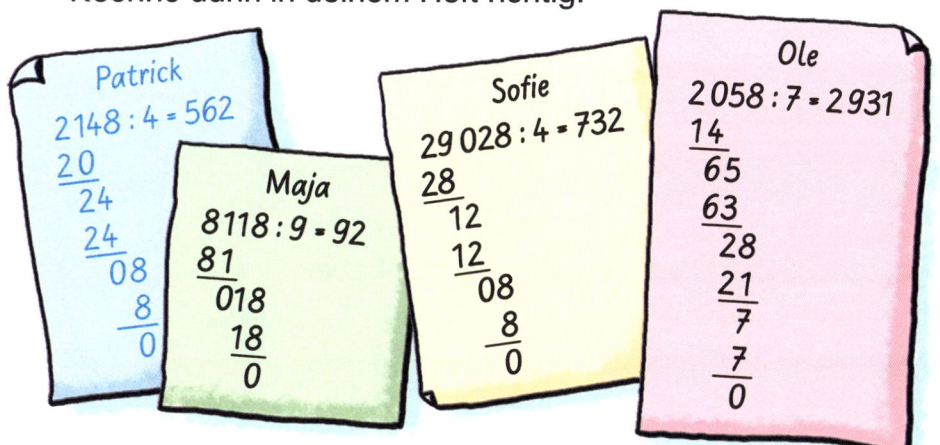

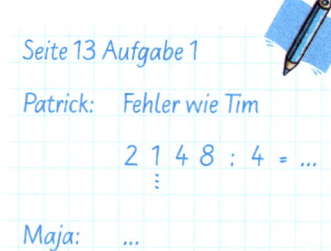

Seite 13 Aufgabe 1
Patrick: Fehler wie Tim
2148 : 4 = ...
Maja: ...

* finden, erklären und korrigieren Rechenfehler

Zu Sachsituationen passende Lösungswege finden

1 Ein Bus hat am Wochenende insgesamt 486 Personen vom Bahnhof zur Spielzeugausstellung auf dem Messegelände gebracht. Bei jeder Fahrt war er voll besetzt. Er ist neunmal gefahren. Jede dritte Person war ein Kind.

Wie viele Fahrgäste haben in dem Bus Platz?
Wie viele Kinder waren bei jeder Fahrt dabei?

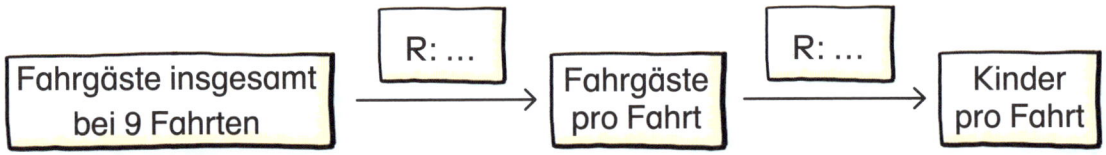

a) Übertrage den dargestellten Lösungsweg in Rechenschritte.

b) Beantworte die Fragen. Besprich die Ergebnisse mit einem anderen Kind.

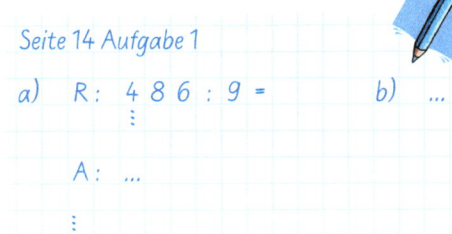

Seite 14 Aufgabe 1
a) R: 4 8 6 : 9 =
   ⋮
   A: ...
   ⋮
b) ...

2 Stelle den Lösungsweg und die Rechenschritte wie in Aufgabe **1** dar. Beantworte die Fragen. Besprich die Ergebnisse mit anderen Kindern.

a) Drei 4. Klassen machen gemeinsam einen Abschlussausflug. Die Kosten für die Zug- und Schifffahrt betragen 1 650 €. Die drei Klassen teilen die Kosten gleichmäßig auf. Leas Klasse hat auf dem Weihnachtsmarkt Bastelarbeiten verkauft und 125 € eingenommen, die sie für den Ausflug verwenden will.

Wie viel muss Leas Klasse für den Ausflug noch bezahlen?
Wie hoch sind die Kosten für jedes der 25 Kinder in Leas Klasse?

b) Ole und Tim haben beim Schulfest 5-Cent-Stücke für die Klassenkasse gesammelt und zusammen 52 € eingenommen. Ole hat 12 € mehr gesammelt als Tim.

Wie viele 5-Cent-Stücke hat Ole, wie viele hat Tim gesammelt?

c) Maja liest in der Zeitung, dass in diesem Jahr in einer deutschen Jugendherberge insgesamt 35 280 Personen übernachtet haben. Im letzten Jahr war es sogar ein Viertel mehr.

Wie viele Personen übernachteten im letzten Jahr in dieser Jugendherberge?

* finden mathematische Lösungswege zu Sachsituationen
* entwickeln, nutzen und bewerten geeignete Darstellungsformen für das Bearbeiten mathematischer Probleme

Kommazahlen schriftlich dividieren

1 Tim, Lisa und Maja kaufen für Max gemeinsam ein Geburtstagsgeschenk. Es kostet 12,99 €. Wie viel muss jeder von ihnen bezahlen?

Seite 15 Aufgabe 1

1 2 9 9 ct : 3 = ...

2 Wandle immer zuerst in die nächstkleinere Einheit um.

a) 3,64 € : 4
23,80 € : 5
463,17 € : 3

b) 153,81 m : 9
222,60 m : 7
4 332,12 m : 6

c) 34,59 m : 3
124,85 € : 5
209,93 m : 7

Seite 15 Aufgabe 2

a) 3 6 4 ct : 4 = 9 ...
   3 6
   ⋮

b) ...

3 Vergleiche die Preise. Berechne, wie viel Geld man jeweils sparen kann, wenn man größere Mengen kauft.

Bratwürste Stück 0,98 € **5er-Pack** 4,40 €

Seife Stück 0,75 € **4er-Pack** 2,36 €

Mais Dose 0,89 € **3er-Pack** 2,67 €

Kiwi Stück 0,59 € **6 Stück** 3,18 €

naturtrüber Apfelsaft Flasche 1,78 € **6er-Pack** 9,60 €

Seite 15 Aufgabe 3

1 Bratwurst in der Großpackung kostet:

4 4 0 ct : 5 = 8 ...
4 0
⋮

Pro Wurst spart man ...

⋮

4 Welches Angebot ist jeweils günstiger?

a)  4,96 €  7,56 €

b)  6,48 €  5,04 €

→ Ü Seite 52

* lösen Sachsituationen mit Größen in Kommaschreibweise
* erkennen funktionale Beziehungen in alltagsnahen Situationen und nutzen diese zur Lösung entsprechender Aufgaben

Durch Zehnerzahlen dividieren

1 Überschlage zuerst. Dividiere dann schriftlich.

a) 5 544 : 6
   55 440 : 60

b) 4 525 : 5
   45 250 : 50

c) 7 232 : 8
   72 320 : 80

d) 1 276 : 4
   12 760 : 40

e) 8 316 : 9
   83 160 : 90

f) 2 772 : 3
   27 720 : 30

Seite 16 Aufgabe 1

a) Ü: 5 400 : 6 = 900   b) ...
   5 544 : 6 = 9 ...
   5 4
   ⋮

2 Überschlage zuerst. Rechne dann schriftlich.
Kontrolliere dein Ergebnis mit der Umkehraufgabe.

a) 36 360 : 90
b) 52 320 : 80
c) 19 460 : 70
d) 83 900 : 50
e) 204 640 : 40
f) 226 620 : 60

Seite 16 Aufgabe 2

a) Ü: 36 000 : 90 = 400   b) ...
   36 360 : 90 = 4 ...
   3 6 0
   ⋮

   Probe: ...

3 Schreibe verschiedene Fragen und dazu passende Rechnungen und Antworten in dein Heft.

Bei den Ferienspielen machen 50 Kinder gemeinsam einen Ausflug. Die Betreuer sammeln von jedem Kind 15 € ein. Davon werden 300 € für Eintrittsgelder benötigt. Vom Rest des Geldes wird der Bus bezahlt.

Seite 16 Aufgabe 3
...

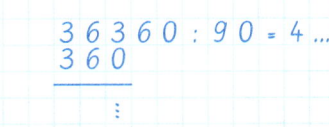

| 30 | 70 | 240 | | 30 | 500 | 150 | 400 | | 200 | 540 | 170 | 90 | 350 | 6   8   5

* überprüfen Ergebnisse durch Überschlag oder Rückbezug auf den Sachzusammenhang
* nutzen Analogiebeziehungen
* finden mathematische Lösungen zu Sachsituationen

Durch zweistellige Zahlen dividieren

1 Erstelle Multiplikationstabellen für die Zahlen von 11 bis 19.

Seite 17 Aufgabe 1

1	11		1	12
2	22		2	...

2 Dividiere schriftlich. Überschlage zuerst.

a) 913 : 11
85 547 : 11

b) 3 588 : 12
29 556 : 12

c) 5 369 : 13
83 824 : 13

d) 798 : 14
81 424 : 14

e) 5 850 : 15
21 240 : 15

f) 5 312 : 16
327 776 : 16

g) 8 551 : 17
621 707 : 17

h) 6 750 : 18
457 272 : 18

i) 5 377 : 19
619 096 : 19

Seite 17 Aufgabe 2

a) Ü: 880 : 11 = 80
913 : 11 = 8 ...
88
⋮

b) ...

3 Jährliche Kosten für ein Pferd:

Stallmiete mit Futter und Wasser	3 100 €
Weide	720 €
Vereinsbeitrag	60 €
Schmied	420 €
Impfungen und Wurmkur	130 €
Versicherungen und Sonstiges	250 €

a) Lea behauptet: „Für 100 € im Monat kann ich mir ein eigenes Pferd leisten." Überlege, ob das möglich ist, und begründe deine Lösung.

b) Berechne die Gesamtkosten pro Monat.

Seite 17 Aufgabe 3

a) ...

→ AH Seite 62

* wenden automatisiert das schriftliche Verfahren der Division an
* ermitteln die ungefähre Größenordnung der Ergebnisse durch Überschlagsrechnung
* finden mathematische Lösungen zu Sachsituationen

Schriftliche Division mit Rest kennenlernen

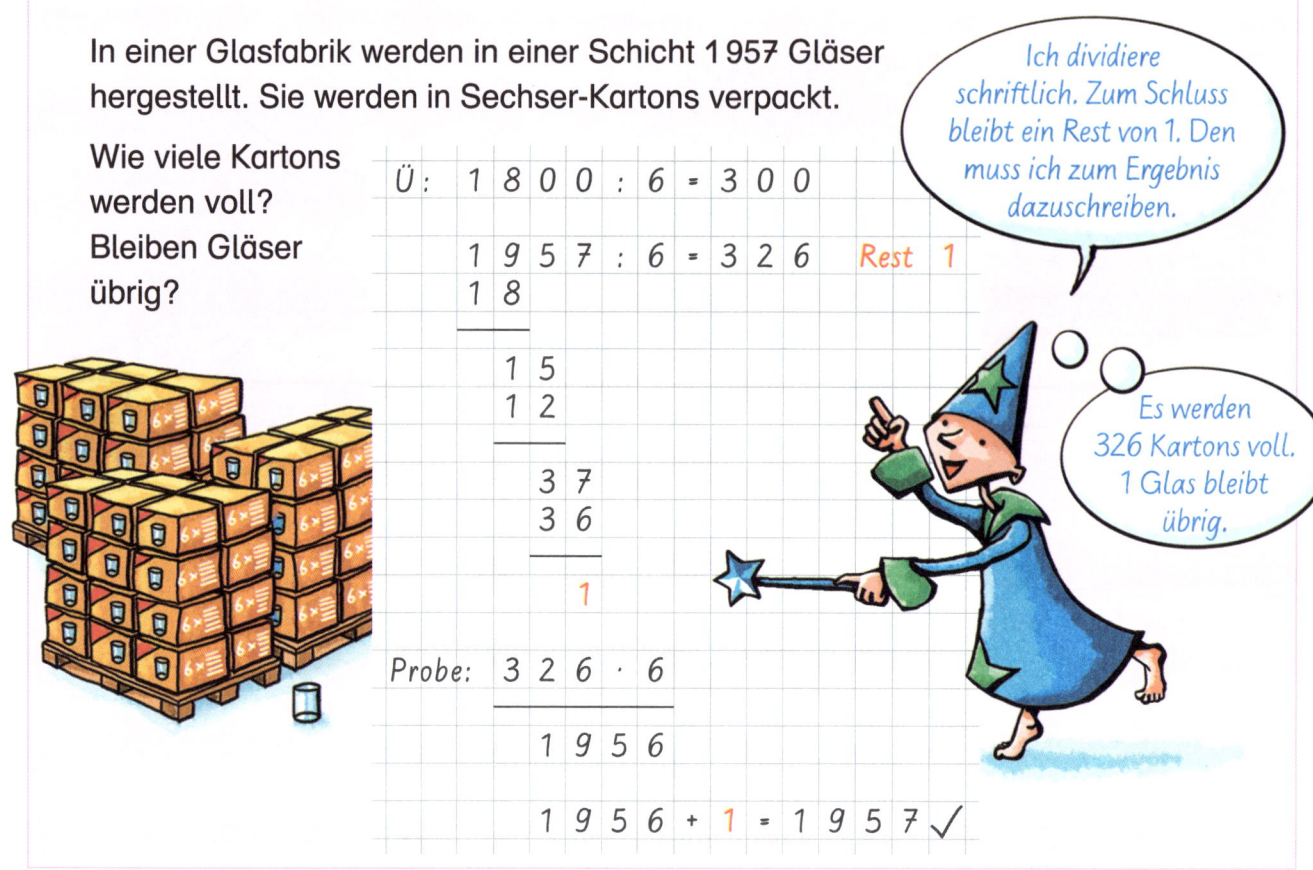

In einer Glasfabrik werden in einer Schicht 1957 Gläser hergestellt. Sie werden in Sechser-Kartons verpackt.

Wie viele Kartons werden voll?
Bleiben Gläser übrig?

Ü: 1800 : 6 = 300

1957 : 6 = 326 Rest 1
18

15
12

37
36

1

Probe: 326 · 6

1956

1956 + 1 = 1957 ✓

Ich dividiere schriftlich. Zum Schluss bleibt ein Rest von 1. Den muss ich zum Ergebnis dazuschreiben.

Es werden 326 Kartons voll. 1 Glas bleibt übrig.

1 Berechne und überprüfe die Lösung mit Überschlag und Probe.

a) 2645 : 4   b) 43 111 : 4   c) 21 196 : 6
   4703 : 3   57 589 : 7   729 409 : 5

Seite 18 Aufgabe 1
a) Ü: 2400 : 4 = 600

2645 : 4 = 661   Rest 1
24

24
24

05
 4

 1

Probe: 661 · 4
        ...

b) ...

2 Suche dir ein anderes Kind.
Würfelt zunächst mindestens fünf Ziffern, mit denen jeder von euch eine Divisionsaufgabe zusammenstellt.
Berechnet dann die Aufgaben und kontrolliert gegenseitig eure Lösungen.
Jede Aufgabe mit einem Ergebnis ohne Rest ergibt einen Punkt.
Wer die meisten Punkte erreicht, hat gewonnen.

→ AH Seite 63

* wenden automatisiert das schriftliche Verfahren der Division an
* überprüfen Ergebnisse durch Überschlag und Probe

Die Teilbarkeit durch 2, 5, 10 und 4 feststellen

1 Die Teilbarkeitsregeln für 2, 5 und 10 kennst du schon.

Teilbar durch 2 sind 4, 52, 360, 678, 9426, …
Teilbar durch 5 sind 25, 730, 3850, 7645, …
Teilbar durch 10 sind 80, 140, 4560, …

Achte immer auf die letzte Ziffer und ergänze die Regeln.
Vergleiche deine ergänzten Regeln mit denen eines anderen Kindes.

Seite 19 Aufgabe 1
Eine Zahl ist …

> Eine Zahl ist ohne Rest durch 2 teilbar, wenn …

> Eine Zahl ist ohne Rest durch 5 teilbar, wenn …

> Eine Zahl ist ohne Rest durch 10 teilbar, wenn …

2 Entdecke Eigenschaften von Zahlen, die ohne Rest durch 4 teilbar sind.

a) Notiere die Viererreihe von 4 bis 100.

b) Dividiere folgende Zahlen durch 4:
312, 648, 819, 4620, 5324, 956, 1141

c) Vergleiche die Zahlen in b) mit den Zahlen der Viererreihe in a). Was fällt dir auf?

100, 1000, 10000, … und alle Vielfachen sind teilbar durch 4.

Seite 19 Aufgabe 2
a) 4, 8, 12, …
b) …

Mein Tipp: Achte auf die beiden letzten Stellen der Zahlen.

3 Ergänze die Regel. Gestalte sie als Merktafel.

> Eine Zahl ist ohne Rest durch 4 teilbar, wenn die Zahl, die aus den beiden letzten Ziffern gebildet wird, …

Seite 19 Aufgabe 3
Eine Zahl ist …

*312 = 300 + 12
300 ist auf jeden Fall durch 4 teilbar. Ist auch 12 durch 4 teilbar?*

312 : 4

*819 = 800 + 19
800 ist durch 4 teilbar. Ist auch 19 durch 4 teilbar?*

819 : 4

4 Ergänze die Zahlen so, dass sie durch 4 teilbar sind.

a) ■ 8   b) 9 ■ 4   c) ■ 5 ■ 2   d) ■ 5 4 ■

Seite 19 Aufgabe 4
a) …

* stellen Vermutungen über mathematische Zusammenhänge an
* überprüfen Vermutungen anhand von Beispielen, bestätigen oder widerlegen sie
* entwickeln allgemeine Überlegungen oder vollziehen diese nach

Die Quersumme bestimmen

Die Quersumme einer Zahl bildet man, indem man die einzelnen Ziffern addiert.

Die Summe der einzelnen Ziffern einer Zahl nennt man Quersumme.
Die Quersumme von 3 452 ist 14.
3 + 4 + 5 + 2 = 14

1 Berechne die Quersummen der folgenden Zahlen:

a) 687 b) 790 c) 4 671 d) 12 423
e) 439 f) 8 963 g) 21 476 h) 125 486

Seite 20 Aufgabe 1
a) ...

2 Finde fünf dreistellige Zahlen mit der Quersumme 10.

Seite 20 Aufgabe 2
...

3 Finde je zwei Zahlen mit folgenden Quersummen:

a) 8 b) 15 c) 18 d) 21 e) 27

Seite 20 Aufgabe 3
a) ...

4 Finde jeweils die kleinste und die größte dreistellige Zahl mit der Quersumme …

a) … 7. b) … 5. c) … 9. d) … 4. e) … 10.

Seite 20 Aufgabe 4
a) ...

5 Notiere mehrere beliebige zweistellige Zahlen. Subtrahiere von jeder Zahl ihre Quersumme. Was fällt dir auf?
Erkennst du einen Zusammenhang zwischen der Größe der Anfangszahlen und den Subtraktionsergebnissen?
Präsentiere deine Entdeckungen einem anderen Kind oder in der Klasse.

Seite 20 Aufgabe 5
...

→			→				→				
2 400	400	90	180	400	60	500	500	4 800	450	320	600

 8   3   6

* verwenden Fachbegriffe richtig
* probieren zunehmend systematisch und zielorientiert und nutzen die Einsicht in Zusammenhänge zur Problemlösung

Die Teilbarkeit durch 3 und 6 feststellen

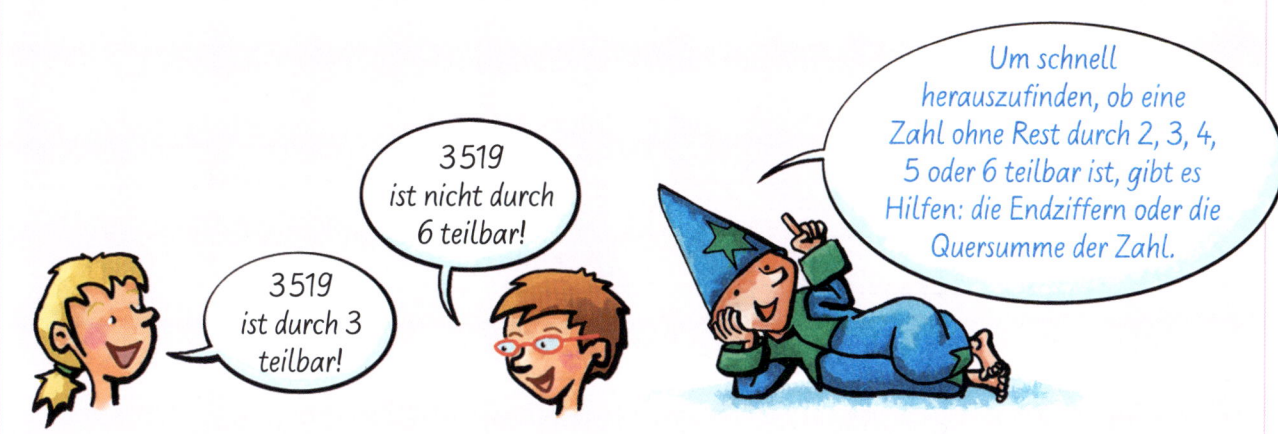

1 Entdecke Eigenschaften von Zahlen, die ohne Rest durch 3 teilbar sind.

a) Dividiere folgende Zahlen durch 3:
7536, 40521, 15756, 67239, 7537, 40520
Berechne dann die Quersumme jeder Zahl und dividiere sie ebenfalls durch 3.

b) Ergänze die Regel. Gestalte sie als Merktafel.

Eine Zahl ist ohne Rest durch 3 teilbar, wenn …

c) Finde selbst Zahlen, die ohne Rest durch 3 teilbar sind.
Bitte ein anderes Kind, deine Ergebnisse zu überprüfen.

Seite 21 Aufgabe 1

a) 7 5 3 6 : 3 = 2 …
6
⋮
Quersumme:
7 + 5 + 3 + 6 = 2 1
2 1 : 3 = …
4 0 5 2 1 : 3 = …
⋮
b) Eine Zahl ist …

2 Entdecke Eigenschaften von Zahlen, die ohne Rest durch 6 teilbar sind.

a) Stelle selbst mehrere gerade Zahlen zusammen, die ohne Rest durch 3 teilbar sind. Dividiere diese Zahlen durch 6.

b) Teile nun andere gerade und ungerade Zahlen durch 6.

c) Ergänze die Regel. Gestalte sie als Merktafel.

Eine Zahl ist ohne Rest durch 6 teilbar, wenn sie … und … ist.

Seite 21 Aufgabe 2

a) …

3 Besprich deine Merktafeln mit einem anderen Kind.

700 400 2100 → 260 40 60 320 → 600 2000 500 800 700 → 8 3 4

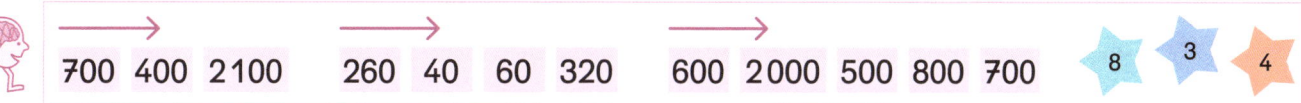

→ AH Seite 64
→ Ü Seite 53

* stellen Vermutungen über mathematische Zusammenhänge an
* überprüfen Vermutungen anhand von Beispielen, bestätigen oder widerlegen sie
* entwickeln allgemeine Überlegungen und präsentieren sie

Mit Teilbarkeitsregeln umgehen

1 Finde jeweils die zwei falsch eingeordneten Zahlen und schreibe sie auf.

a) Teilbar durch 2

| 1 428 | 26 784 | 30 002 |
| 8 935 | 115 632 | 51 679 |

b) Teilbar durch 3

| 9 343 | 576 243 | 73 533 |
| 3 426 | 41 634 | 94 735 |

Seite 22 Aufgabe 1
a) 8 9 3 5, ...
b) ...

c) Teilbar durch 4

| 56 728 | 120 434 | 70 518 |
| 9 636 | 768 916 | 635 720 |

d) Teilbar durch 5

| 6 350 | 763 435 | 50 689 |
| 6 790 | 42 930 | 98 432 |

e) Teilbar durch 6

| 46 236 | 851 424 | 96 126 |
| 7 116 | 512 637 | 872 144 |

f) Teilbar durch 10

| 8 370 | 46 512 | 20 439 |
| 8 400 | 131 690 | 712 000 |

2 Übertrage die Tabelle in dein Heft.

teilbar durch 2	teilbar durch 3	teilbar durch 4	teilbar durch 5	teilbar durch 6	teilbar durch 10

a) Trage in jede Spalte mindestens fünf vierstellige Zahlen ein.

b) Bitte ein anderes Kind, deine Eintragungen mithilfe der Teilbarkeitsregeln zu kontrollieren. Kontrolliert bei mindestens einer Zahl pro Spalte euer Ergebnis, indem ihr dividiert.

Seite 22 Aufgabe 2
...

3 Schreibe jeweils drei verschiedene fünfstellige Zahlen auf, die ...

a) ... bei der Division durch 2 den Rest 1 haben.
b) ... bei der Division durch 3 den Rest 2 haben.
c) ... bei der Division durch 10 den Rest 5 haben.
d) ... bei der Division durch 4 den Rest 3 haben.
e) ... bei der Division durch 6 den Rest 4 haben.

Seite 22 Aufgabe 3
a) ...

4 Schreibe einige Zahlen auf, die größer als 1 sind und nur durch 1 und sich selbst teilbar sind. Solche Zahlen nennt man Primzahlen.

* übertragen ihre Kenntnisse auf erweiterte Sachverhalte
* wenden die Teilbarkeitsregeln bei der Lösungssuche zielgerichtet an

Passende Ziffern einsetzen

1 Trage Ziffern so ein, dass bei der Division kein Rest entsteht. Bestimme dann das Ergebnis.

a) 3 8 8 ▪ : 2 = ▪ b) 7 5 0 6 ▪ : 4 = ▪
c) 8 4 ▪ 5 6 : 6 = ▪ d) 2 4 6 7 ▪ : 10 = ▪
e) 3 ▪ 2 4 ▪ 2 : 3 = ▪ f) 1 ▪ 3 ▪ : 5 = ▪

Seite 23 Aufgabe 1
a) ...

2 Übertrage die Aufgaben in dein Heft. Ergänze dann die fehlenden Ziffern.

a) 2 ▪ 5 3 : 3 = 8 ▪ 4 ▪
   2 4
     2 5
     2 4
       1 2
       1 2
         0 3
           3
           0

b) 3 2 ▪ 1 7 : ▪ = 3 ▪ 1 3
   2 7
    ▪ ▪
     5 ▪
     1 1
      ▪ ▪
      ▪ ▪
       ▪

Seite 23 Aufgabe 2
a) ...

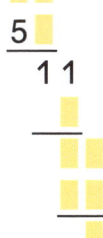

3 Bestimme die fehlenden Ziffern und übertrage die Aufgaben in dein Heft. Überprüfe die Lösung durch Ausrechnen.

a) 9 8 ▪ : 5 = 1 9 6
   8 ▪ 2 : 6 = 1 3 7
   6 5 3 ▪ : 7 = 9 3 4
   1 ▪ 1 4 : 2 = 8 0 7

b) 6 7 ▪ : 6 = 1 ▪ 2
   9 0 ▪ : 8 = 1 ▪ 3
   ▪ 1 8 : 3 = 3 0 ▪
   6 3 ▪ : 5 = 1 ▪ 6

Seite 23 Aufgabe 3
a) ...

4 Ermittle bei jeder Aufgabe die Zahlen, für die △, ○, ▭ und □ stehen.

a) ○ · 250 = 1 500
   62 436 : ○ = △
   △ · 20 = ▭

b) 62 925 − ▭ = ○
   ○ : 4 = 10 100
   ▭ · 2 = □

c) 3 882 + ○ = □
   ○ · △ = 20 958
   □ : 9 = 764

d) 24 354 : ○ = 2 706
   ▭ : ○ = 3 600
   80 · △ = ▭

Seite 23 Aufgabe 4
a) ○ = ...
   △ = ...
   ▭ = ...
b) ○ = ...
   ⋮

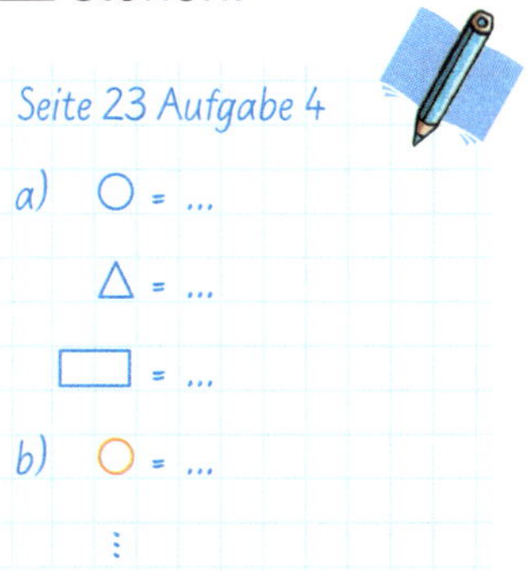

→			→				→							
9	35	54	72	31	8	45	27	5	64	18	8	⭐8	⭐6	⭐9

→ AH Seite 65

Auf andere Weise schriftlich dividieren

Die Kinder haben Verwandte und Freunde gefragt, wie sie schriftlich dividieren.

6798 : 6 = ▢

Mein türkischer Nachbar rechnet so.

```
6798 : 6  | 6
-6        | 1133
 07
 - 6
   19
  -18
    18
   -18
     0
```

Meine Mama schreibt in Kurzform.

```
6798 : 6 = 1133
   7
   19
    18
```

Mein Papa ist in Spanien zur Schule gegangen. Er rechnet so ähnlich wie die Mama von Max.

```
6798 : 6
 07
  19    | 6
   18   | 1133
```

Mein Brieffreund aus Polen rechnet so.

```
    1133
6798 : 6
-6
 07
 - 6
   19
  -18
    18
   -18
     0
```

 1 Frage deine Verwandten oder andere Kinder und Erwachsene, wie sie rechnen.

a) Stelle die Ergebnisse einem anderen Kind vor.

b) Vergleicht die Rechnungen mit euren. Wo gibt es Gemeinsamkeiten? Entdeckt ihr auch eine neue Methode?

2 Berechne die Aufgaben. Verwende dabei mindestens zwei der oben vorgestellten Möglichkeiten.

a) 9816 : 3   b) 8624 : 4   c) 6785 : 5

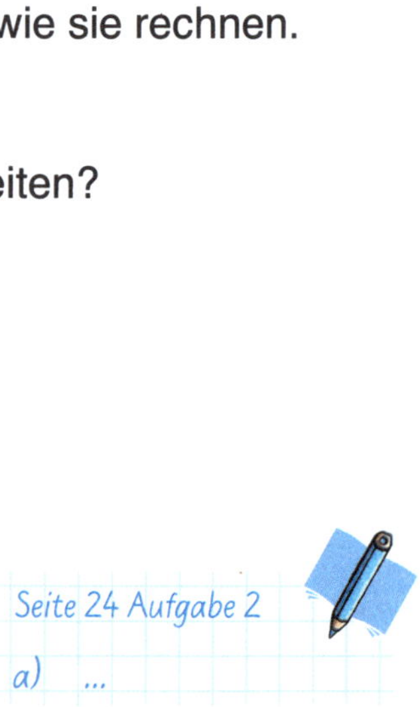

Seite 24 Aufgabe 2

a) ...

* nutzen, erklären, vergleichen und bewerten unterschiedliche Rechenwege
* erstellen sinnvolle und nachvollziehbare Notizen

Mathematische Fachbegriffe verwenden

Addition
280 + 220 = 500
Summand + Summand = Summe

Mathematiker haben für die verschiedenen Rechenarten besondere Namen. Auch die einzelnen Bestandteile werden benannt.

Multiplikation
15 · 20 = 300
Faktor · Faktor = Produkt

Subtraktion
600 − 250 = 350
Minuend − Subtrahend = Differenz

Division
480 : 60 = 8
Dividend : Divisor = Quotient

1 Finde zu jedem Begriff eine eigene Beispielaufgabe.

a) Addition b) Multiplikation
c) Subtraktion d) Division

a) …

2 Notiere in deinem Lerntagebuch die Begriffe, die bei unterschiedlichen Rechenverfahren verwendet werden. Beschreibe sie mit eigenen Worten.

3 Löse die Zahlenrätsel. Schreibe die Rechnungen in dein Heft.

a) Meine Zahl ist das Produkt aus 3 und 17.
b) Meine Zahl ist der Quotient aus 48 und 6.
c) Gesucht ist die Differenz von 620 und 270.
d) Die Summe von 370 und dem gesuchten Summanden beträgt 720.
e) Die Differenz zweier Zahlen beträgt 280.
   Wie können Minuend und Subtrahend heißen? Finde drei verschiedene Lösungen.
f) Das Produkt von 40 und dem gesuchten Faktor beträgt 360.
g) Meine Zahl ist der Divisor. Der Dividend ist 360, der Quotient 90.
h) Subtrahend und Differenz betragen jeweils 500 000. Gesucht ist der Minuend.
i) Schreibe selbst Zahlenrätsel für andere Kinder. Verwende die Begriffe auf Einsterns Merktafeln. Stellt euch die Rätsel gegenseitig vor.

a) …

★ verwenden Fachbegriffe richtig
★ finden zu gegebenen mathematischen Modellen passende Problemstellungen

Mit Klammern rechnen

1 Rechne jeweils beide Aufgaben aus.
Besprich deine Ergebnisse mit einem anderen Kind.

a) 4 + 6 · 5 =
(4 + 6) · 5 =

b) 12 − 3 · 4 =
(12 − 3) · 4 =

c) 80 + 400 : 20 =
(80 + 400) : 20 =

d) 25 + 5 : 5 =
(25 + 5) : 5 =

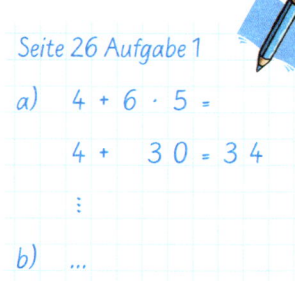

Seite 26 Aufgabe 1

a) 4 + 6 · 5 =
4 + 30 = 34

b) ...

2 Schreibe Rechenaufgaben mit Klammern und finde die Lösungen.

a) Multipliziere die Summe aus 70 und 30 mit 3.

b) Dividiere 150 durch die Differenz von 90 und 40.

c) Multipliziere 30 mit der Summe von 60 und 40.

Seite 26 Aufgabe 2

a) (70 + 30) · 3 = ...

b) ...

3 Formuliere Fragen.
Finde passende Rechnungen und Antworten.

a) Lea hat achtzehn 2-€-Münzen in der Spardose.
Sie leiht ihrer Schwester 6 €.

b) Lisa hat 36 Bildkarten. Sechs davon schenkt sie ihrer
Freundin. Die restlichen verteilt sie an ihre drei Geschwister.

c) Max bekommt jeden Monat 6 € Taschengeld. Nachdem er drei Monate
gespart hat, kauft er sich eine große Taschenlampe für 15 €.

Seite 26 Aufgabe 3

a) ...

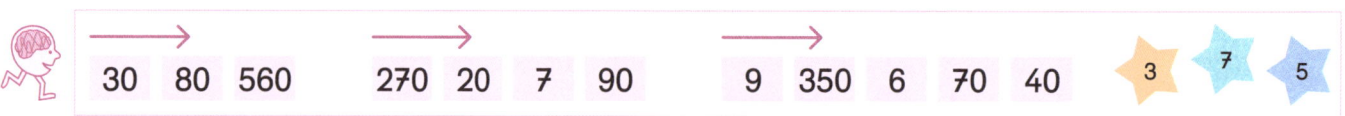

30 80 560   270 20 7 90   9 350 6 70 40   ★3 ★7 ★5

* entdecken und beschreiben Operationseigenschaften und Rechengesetze an Beispielen
* entnehmen aus Aufgabenstellungen relevante Informationen, finden passende Fragestellungen, Rechnungen und Antworten

Zahlenrätsel lösen und schreiben

1 Schreibe wie Lea die Zahlenrätsel der anderen Kinder als Kettenaufgaben.
Trage dazu auch die Pfeile für die Umkehraufgabe ein.
Bestimme die gesuchten Zahlen.

JANEK: Wenn du 8757 durch 7 dividierst und das Ergebnis mit 6 multiplizierst, erhältst du meine Zahl.

MAJA: Ich multipliziere meine gedachte Zahl mit 8, dividiere dann durch 4 und subtrahiere anschließend 200. Als Ergebnis erhalte ich 200.

MAX: Wenn ich meine Zahl durch 7 dividiere, dann verdopple und anschließend 168 subtrahiere, erhalte ich 796.

LISA: Meine Zahl erhältst du, wenn du 63 mit 125 multiplizierst, anschließend durch 5 dividierst und dieses Ergebnis zum Schluss verdoppelst.

Seite 27 Aufgabe 1

Janek:
$8\,7\,5\,7 \xrightarrow{:7} \square \ldots$

2 Schreibe zu jeder Kettenaufgabe ein passendes Zahlenrätsel.

a) $\square \xrightarrow{:2} \square \xrightarrow{-235} \square \xrightarrow{:5} 833$

b) $5067 \xrightarrow{:9} \square \xrightarrow{\cdot 4} \square \xrightarrow{+7748} \square$

c) $\square \xrightarrow{+444} \square \xrightarrow{\cdot 4} \square \xrightarrow{:2} 3268$

Seite 27 Aufgabe 2

a) Ich dividiere meine Zahl durch 2, ...

b) ...

→ AH Seite 66

* übersetzen Problemstellungen in ein mathematisches Modell und lösen sie
* finden zu gegebenen mathematischen Modellen passende Problemstellungen und entwickeln eigene Fragestellungen

Den Taschenrechner kennenlernen

1 Vergleiche die Tasten mit denen deines Taschenrechners.

ON/C	„On":	schaltet Taschenrechner ein
	„Clear":	löscht die Rechnung
CE	„Clear entry":	löscht die letzte Eingabe
OFF	„Off":	schaltet Taschenrechner aus
÷	„Division":	dividiert die angezeigte Zahl
×	„Multiplikation":	multipliziert die angezeigte Zahl
−	„Subtraktion":	subtrahiert von der angezeigten Zahl
+	„Addition":	addiert zur angezeigten Zahl
=	„Gleichheitszeichen":	zeigt das Ergebnis an
.	„Komma":	setzt ein Komma

Die übrigen Tasten benötigst du erst in den folgenden Schuljahren.

2 Nutze die Tastatur für Versuche.

a) Tippe zunächst verschiedene Zahlen ein. Lösche sie immer wieder mit der Taste C.

b) Wie viele Ziffern kann dein Taschenrechner höchstens anzeigen? Was geschieht, wenn du noch mehr Zifferntasten drückst?

c) Berechne mit deinem Taschenrechner diese einfachen Aufgaben:

Aufgabe	Tastenfolge
4 + 3 =	[4][+][3][=]
17 − 8 =	[1][7][−][8][=]
5 · 6 =	[5][×][6][=]
15 : 3 =	[1][5][÷][3][=]
1,5 + 0,5 =	[1][.][5][+][0][.][5][=]

3 Schreibe mit der Anzeige des Taschenrechners.

a) Tippe zunächst jede Zifferntaste einmal.   0123456789

Betrachte die Anzeige nun auf dem Kopf. Welche Buchstaben kannst du erkennen?

b) Schreibe die folgenden Wörter mit dem Taschenrechner:
ESEL, LIEB, EILE, SEILE

c) Finde eigene Wörter.

d) Finde passende Additions- und Subtraktionsaufgaben, die als Ergebnis diese Wörter ergeben.

* entnehmen Darstellungen relevante Informationen und erproben diese beim eigenen Vorgehen
* probieren zunehmend systematisch und zielorientiert

Den Taschenrechner sinnvoll einsetzen

1 Überprüfe die Ergebnisse mithilfe des Taschenrechners.

a) 888 885 : 15 = 59 259
   64 758 : 43 = 1 506

b) 401 896 : 88 = 4 567
   987 654 : 6 = 164 608

c) 6 457 · 27 = 174 339
   58 888 · 13 = 765 544

d) 9 876 · 54 = 533 304
   5 299 · 126 = 666 666

e) 67 558 − 53 210 = 14 348
   111 111 − 88 888 = 22 223

f) 13 478 + 175 888 = 189 366
   254 254 + 6 789 = 261 043

2 Berechne mit dem Taschenrechner, wie viel beim Einkauf bezahlt werden muss. Überschlage zuerst. Vergleiche die Ergebnisse mit denen anderer Kinder.

a) 3,48 € + 2,53 € + 1,99 € = ▢
   12,44 € + 19,98 € + 4,89 € = ▢

b) 0,55 € + 2,49 € + 0,98 € + 0,65 € = ▢
   1,98 € + 0,74 € + 12,09 € + 15,40 € = ▢

€ wird nicht eingetippt.

Seite 29 Aufgabe 2
a) ...

3 Rechne zuerst im Kopf, dann mit dem Taschenrechner. Vergleiche die Ergebnisse.

31 : 5 = ▢

4 Arbeite gemeinsam mit einem anderen Kind.

a) Überprüft die Aussagen:
   12 ist Teiler von 400; 12 ist Teiler von 748;
   17 ist Teiler von 391; 13 ist Teiler von 6 220;
   15 ist Teiler von 11 950; 14 ist Teiler von 7 392

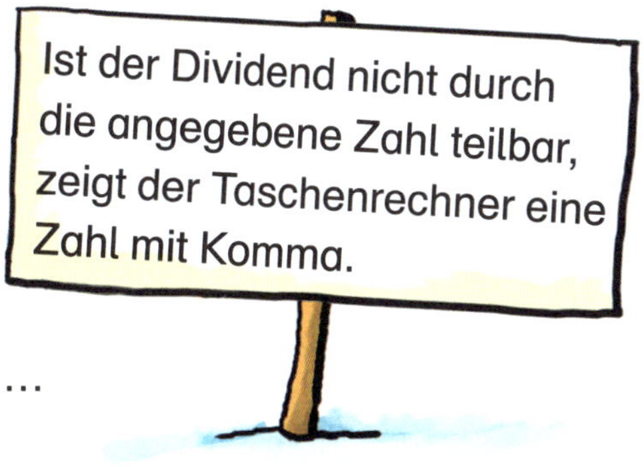

b) Findet beliebig große Zahlen, die teilbar sind durch …
   … 5; … 7; … 13; … 19; … 22.

c) Bestimmt mindestens drei Vielfache von 3 und drei Vielfache von 5, die größer als 500 sind.

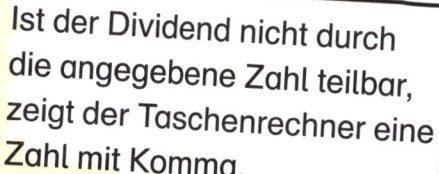

Ist der Dividend nicht durch die angegebene Zahl teilbar, zeigt der Taschenrechner eine Zahl mit Komma.

5 Schreibe in dein Lerntagebuch, bei welchen Aufgaben das Rechnen mit dem Taschenrechner sinnvoll ist. Beschreibe Vor- und Nachteile beim Rechnen mit dem Taschenrechner im Vergleich zu anderen Lösungswegen.

→ AH Seite 67

* lösen Aufgaben im Zahlenraum bis zur Million zu allen vier Grundrechenarten
* nutzen aufgabenbezogen den Taschenrechner als Rechenwerkzeug beim Entdecken von Zusammenhängen
* reflektieren den Einsatz des Taschenrechners

Die maßstäbliche Vergrößerung kennenlernen

6-mal so groß wie in Wirklichkeit, Maßstab 6:1

Die Fliege ist 6-mal so groß abgebildet, wie sie in Wirklichkeit ist. Man sagt: Die Fliege ist im Maßstab 6 zu 1 abgebildet.

doppelt so groß wie in Wirklichkeit, Maßstab 2:1

4-mal so groß wie in Wirklichkeit, Maßstab 4:1

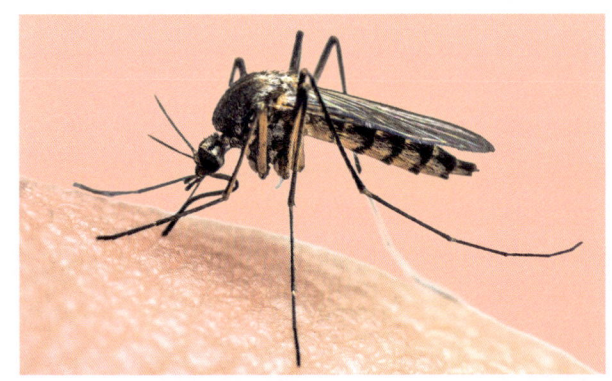

7-mal so groß wie in Wirklichkeit, Maßstab 7:1

Originalgröße, Maßstab 1:1

1 Miss die Längen der abgebildeten Tiere. Berechne, wie lang die Tiere in Wirklichkeit sind. Zeichne eine Strecke entsprechender Länge in dein Heft.

Auf dem Bild ist die Fliege 6 cm groß. In Wirklichkeit ist sie 1 cm groß.

6 cm : 6 = 1 cm

Seite 30 Aufgabe 1
wirkliche Länge:
Fliege: 6 cm : 6 = 1 cm

★ beschreiben den Zusammenhang zwischen Längen in der Realität und entsprechenden Längen in Skizzen
★ nutzen grundlegende Vorstellungen von maßstäblichem Verkleinern, um sich in der Wirklichkeit zu orientieren

Die maßstäbliche Verkleinerung kennenlernen

1 Diese Gegenstände sind alle verkleinert im Maßstab 1 : 4 abgebildet.

a) Zeichne eine Tabelle in dein Heft und trage die Längen der Gegenstände im Bild und in Wirklichkeit ein.

b) Suche selbst Gegenstände und zeichne sie im Maßstab 1 : 4.

Seite 31 Aufgabe 1

a)	Gegenstand	Bild	Wirklichkeit	b) ...
	Mäppchen	5 cm	20 cm	
	...			

Maßstab 1 : 4 heißt:
1 cm in der Zeichnung sind in Wirklichkeit 4 cm.
Maßstab 1 : 10 heißt:
1 cm in der Zeichnung sind in Wirklichkeit 10 cm.
...

2 In Büchern und Katalogen werden viele Dinge im Maßstab 1 : 2, 1 : 10 oder 1 : 100 abgebildet. Miss die Längen der abgebildeten Gegenstände und überlege, welcher Maßstab verwendet wurde. Übertrage die Tabelle in dein Heft und fülle sie aus.

Seite 31 Aufgabe 2

Gegenstand	Auto	Lineal	Giraffe	Spielfigur	Krokodil	Bleistift	Schlüssel
in der Zeichnung	4 cm						
in Wirklichkeit etwa	400 cm						
Maßstab	1 : 100						

★ beschreiben den Zusammenhang zwischen Längen in der Realität und entsprechenden Längen in Skizzen
★ nutzen grundlegende Vorstellungen von maßstäblichem Verkleinern, um sich in der Wirklichkeit zu orientieren

Nach vorgegebenem Maßstab vergrößern und verkleinern

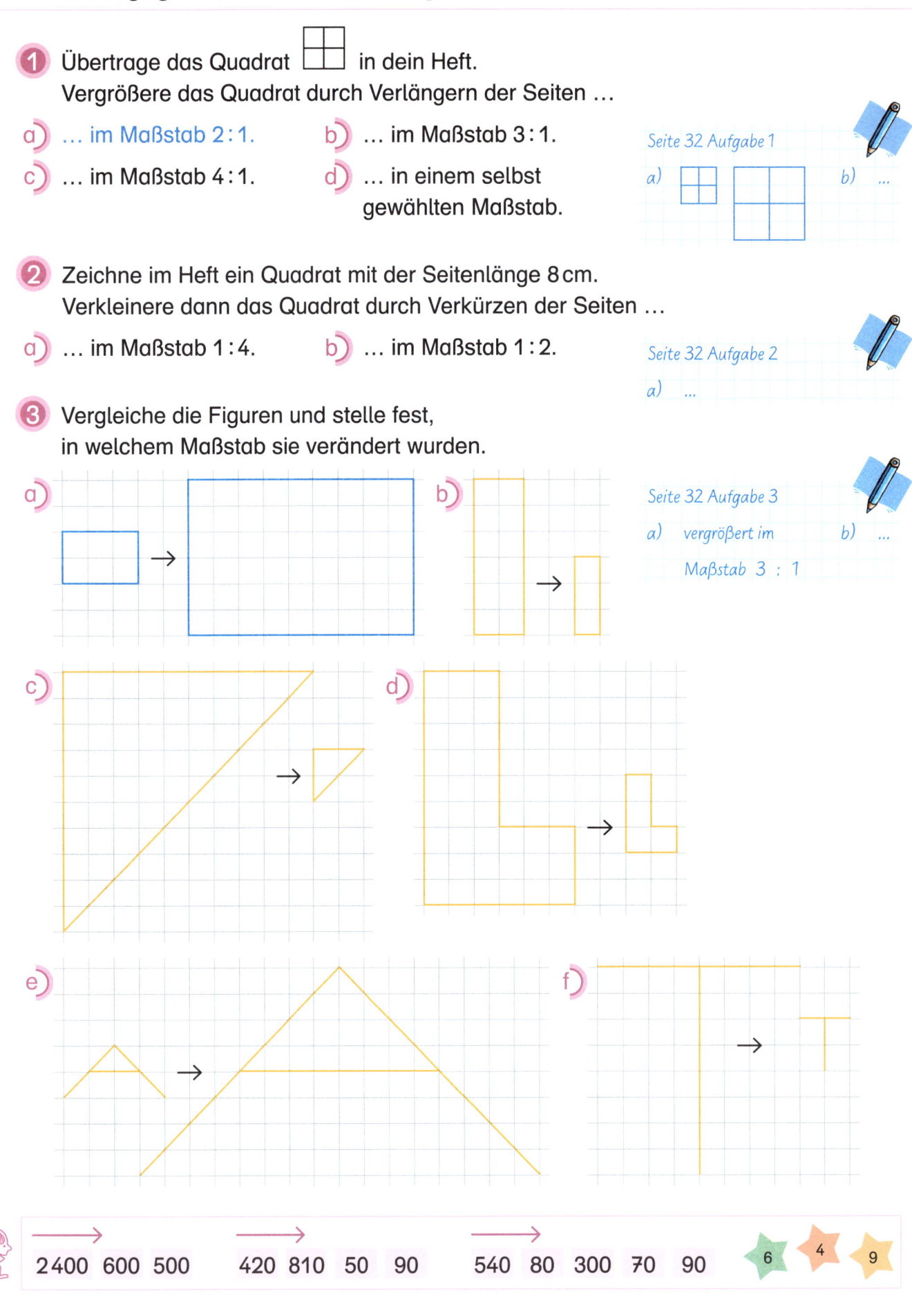

1 Übertrage das Quadrat in dein Heft.
Vergrößere das Quadrat durch Verlängern der Seiten …

a) … im Maßstab 2 : 1.   b) … im Maßstab 3 : 1.
c) … im Maßstab 4 : 1.   d) … in einem selbst gewählten Maßstab.

Seite 32 Aufgabe 1
a)   b) …

2 Zeichne im Heft ein Quadrat mit der Seitenlänge 8 cm.
Verkleinere dann das Quadrat durch Verkürzen der Seiten …

a) … im Maßstab 1 : 4.   b) … im Maßstab 1 : 2.

Seite 32 Aufgabe 2
a) …

3 Vergleiche die Figuren und stelle fest, in welchem Maßstab sie verändert wurden.

a)   b)   c)   d)   e)   f)

Seite 32 Aufgabe 3
a) vergrößert im Maßstab 3 : 1   b) …

2 400 600 500   420 810 50 90   540 80 300 70 90   6 4 9

*verkleinern und vergrößern ebene Figuren und nutzen dabei grundlegende Vorstellungen zum Maßstab
*geben Veränderungen vorgegebener Figuren durch den entsprechenden Maßstab an

→ AH Seite 68
→ Ü Seite 54

Das Klassenzimmer maßstäblich zeichnen

1 Das Klassenzimmer ist im Maßstab 1 : 100 dargestellt.

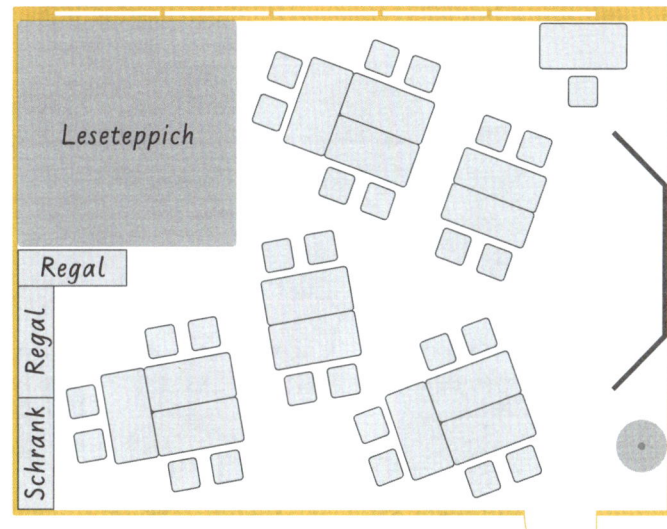

a) Beschreibe einem anderen Kind, wie die Längen in der Zeichnung mit den Längen in der Wirklichkeit zusammenhängen.

b) Miss in der Zeichnung die Länge und Breite des Zimmers und der Gegenstände. Berechne dann die entsprechenden Maße in der Wirklichkeit. Vergleiche mit den Gegenständen in eurem Klassenzimmer. Stelle deine Ergebnisse in einer Tabelle dar.

Seite 33 Aufgabe 1

Gegenstand	in der Zeichnung		in Wirklichkeit		bei uns	
	Länge	Breite	Länge	Breite	Länge	Breite
...	...	...	...	...	...	...
⋮						

2 Zeichne in dein Heft einen Plan eures Klassenzimmers. Wähle einen geeigneten Maßstab. Die Tische und Stühle musst du nicht einzeichnen.

Seite 33 Aufgabe 2

3 Miss zu Hause dein Kinderzimmer oder das Wohnzimmer aus und versuche, einen Grundriss im Maßstab 1 : 100 zu zeichnen. Mit Millimeterpapier geht es leichter.

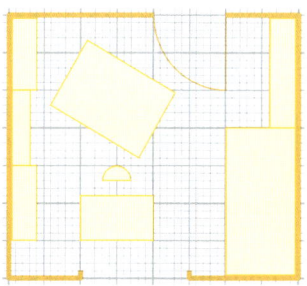

4 Besorge dir ein großes Plakat oder stelle eines aus alten, großen Kalenderblättern her. Zeichne darauf gemeinsam mit anderen Kindern das Klassenzimmer im Maßstab 1 : 10. Nun könnt ihr alle Tische und Stühle auch im Maßstab 1 : 10 auf dickes Papier aufzeichnen und ausschneiden. Versucht auf eurem Plan veränderte Sitzordnungen zu gestalten. Sprecht über diese Veränderungen.

5 Notiere in deinem Lerntagebuch mit eigenen Worten, was es bedeutet, im Maßstab 1 : 2 und im Maßstab 2 : 1 zu zeichnen.

★ beschreiben den Zusammenhang zwischen Längen in der Realität und entsprechenden Längen in Grundrisszeichnungen
★ nutzen grundlegende Vorstellungen von maßstäblichem Verkleinern, um sich in der Wirklichkeit zu orientieren

Einen Lageplan verstehen und nutzen

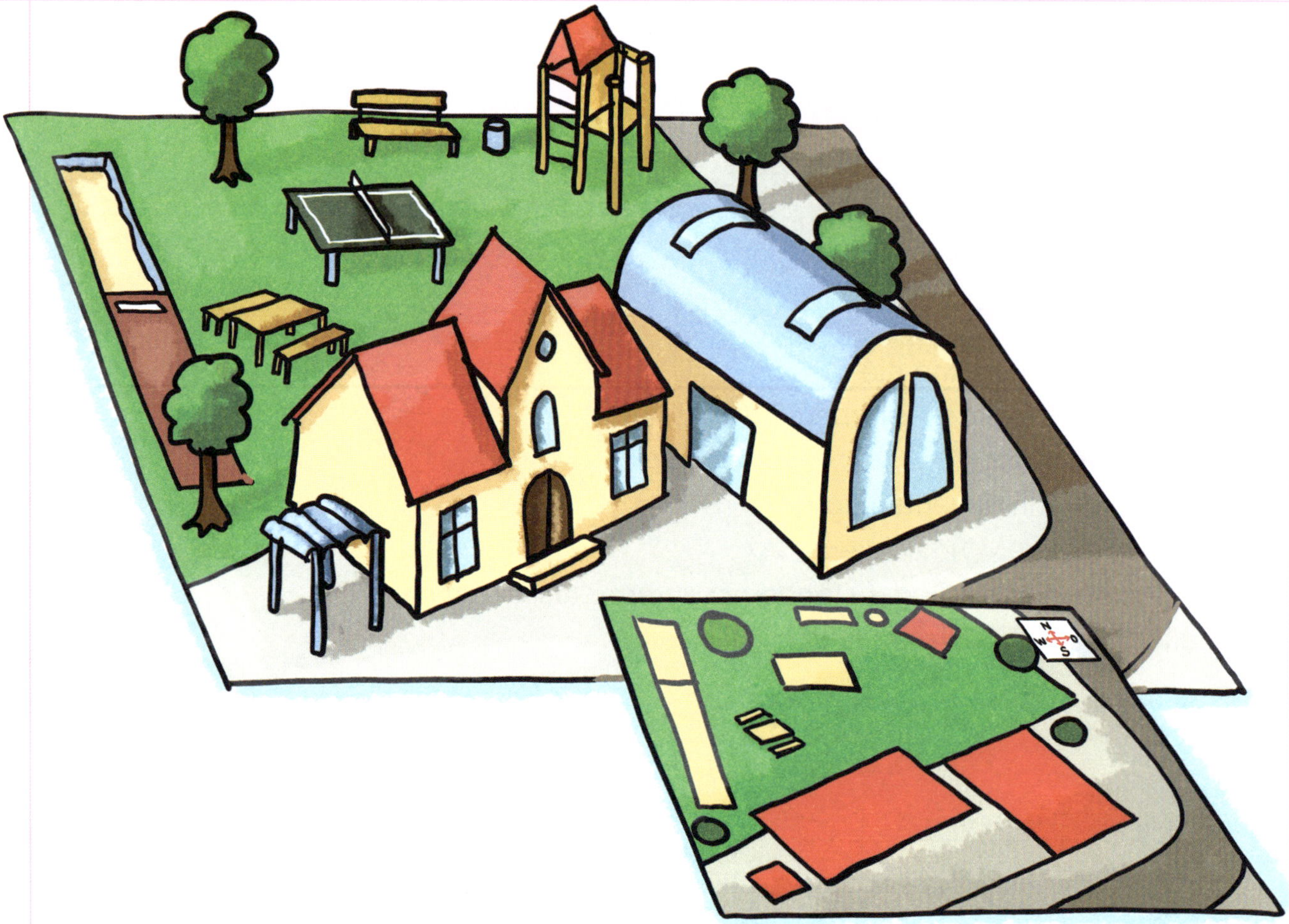

① Betrachte gemeinsam mit einem anderen Kind das Bild vom Modell einer Schule und den dazugehörigen Lageplan. Zeigt euch gegenseitig jeweils gleiche Gebäude oder Anlagen auf dem Modell und auf dem Lageplan.

② Beschreibt euch gegenseitig Wege auf dem Schulgelände, die von einem Ort zu einem anderen führen. Dabei beschreibt ein Kind den Weg mit Richtungsangaben und das andere Kind findet heraus, wohin der Weg führt.

③ Schreibe selbst Wege auf und bitte ein anderes Kind, nach deiner Beschreibung jeweils den Ausgangspunkt, den Weg und das Ziel zu finden.

④ Erstelle gemeinsam mit anderen Kindern einen Lageplan eures Schulgeländes.

Fertigt dazu ebenfalls Wegbeschreibungen an.
Bittet nun ein anderes Kind, die Wege nach eurer Beschreibung zu gehen.
Dabei überprüft ihr, ob die Beschreibung verständlich und genau genug ist.

Einem Stadtplan Informationen entnehmen

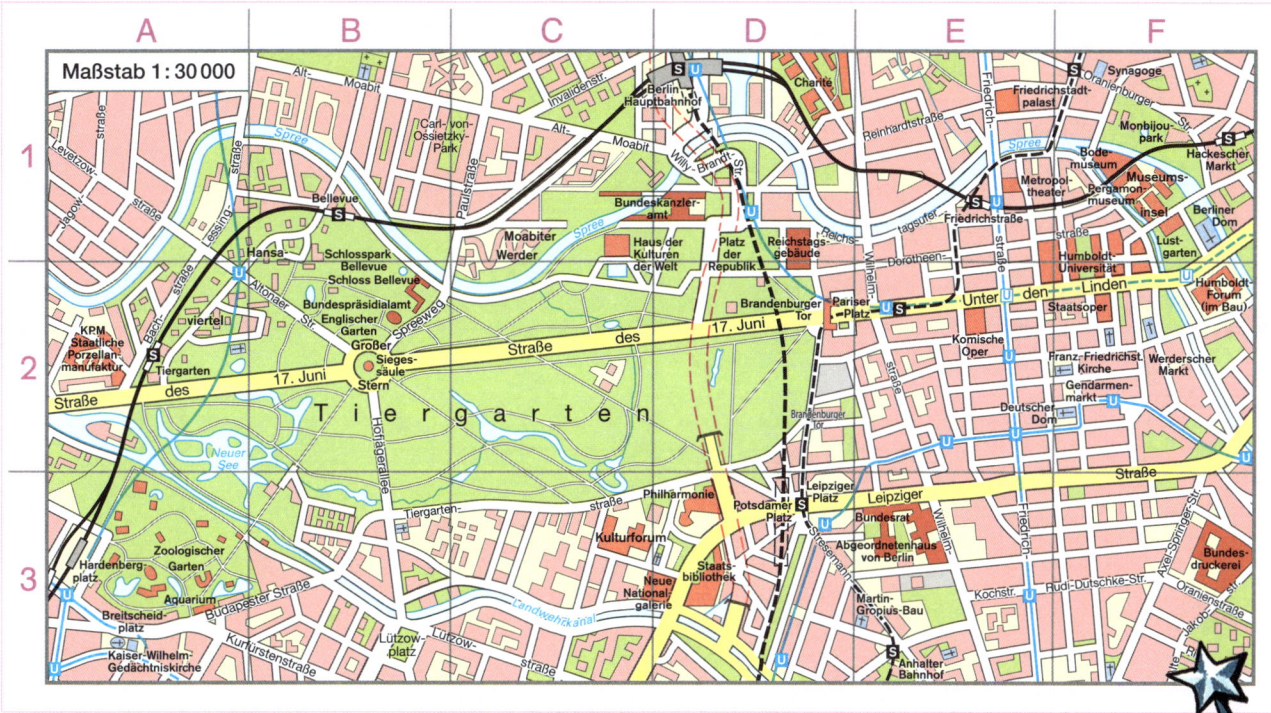

 1 Bearbeite die Aufgaben gemeinsam mit einem anderen Kind.

a) Findet diese Berliner Sehenswürdigkeiten.
   Beschreibt euch gegenseitig ihre Lage mithilfe der Planquadrate.

   - Zoologischer Garten/Aquarium
   - Brandenburger Tor
   - Bundeskanzleramt
   - Reichstagsgebäude/Bundestag
   - Museumsinsel
   - Siegessäule

   Ein Planquadrat wird mit Buchstabe und Zahl bezeichnet. Der Friedrichstadtpalast liegt im Planquadrat E1.

   Berlins Sehenswürdigkeiten könnt ihr euch auch im Internet ansehen.

b) Beschreibe den Zusammenhang zwischen den Längen im Plan und den Längen in der Wirklichkeit. Bestimmt die tatsächlichen Längen einiger Straßen. Findet selbst weitere.

   - Straße des 17. Juni (vom Brandenburger Tor bis zum Großen Stern)
   - Friedrichstraße (vom Bahnhof Friedrichstraße bis zur Kochstraße)

 c) Wer sich die Sehenswürdigkeiten zunächst nur von außen ansehen möchte, kann bei einem Stadtrundgang in einer Stunde 3 km zurücklegen.

   Stellt Rundgänge für ein, zwei oder drei Stunden zusammen. Fertigt dafür Wegbeschreibungen an. Stellt eure Ergebnisse den anderen Kindern auf einem Plakat vor. Dabei könnt ihr auch Informationen über die Sehenswürdigkeiten einfügen.

d) Ihr könnt euch einen Stadtplan einer Stadt in eurer Nähe besorgen und einen Stadtrundgang planen.

★ orientieren sich in einem Stadtplan
★ nutzen grundlegende Vorstellungen von maßstäblichem Verkleinern, um sich in der Wirklichkeit zu orientieren

Sich auf einem Schienennetz-Plan orientieren

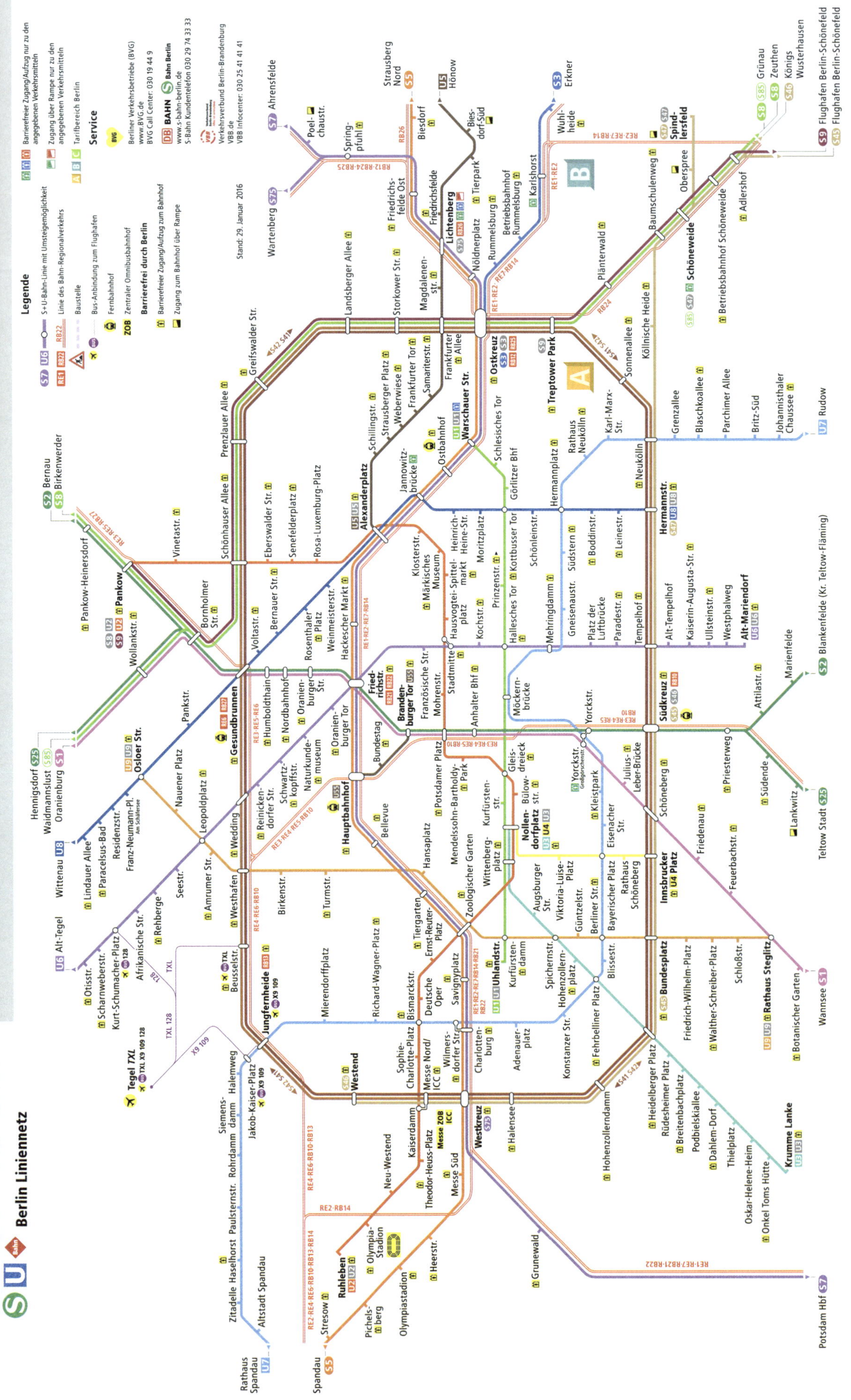

Berlin Liniennetz

1. Wähle gemeinsam mit einem anderen Kind verschiedene Start- und Zielhaltestellen. Beschreibt jeweils die Wegstrecke und die notwendigen Umsteigestellen. Ihr könnt auch verschiedene Wege beschreiben.

2. Besorgt euch einen Netzplan eurer Stadt oder einer Stadt in der Nähe und stellt euch selbst Aufgaben wie in Aufgabe 1.

★ orientieren sich in einem zweidimensionalen Plan
★ entnehmen sachbezogene Informationen und setzen sie zueinander in Beziehung

Sich im Kantenmodell orientieren

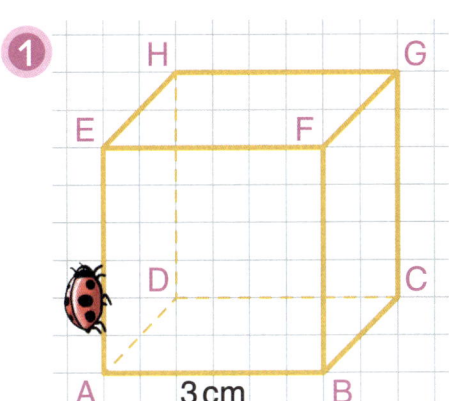

1 Ein kleiner Käfer geht außen auf dem Kantenmodell eines Würfels spazieren. Stelle dir die beschriebenen Wege des Käfers vor und überlege, an welchen Ecken er ankommt.

Seite 37 Aufgabe 1
a) ...

a) Der Käfer startet bei A und krabbelt nach oben. An der Ecke biegt er nach rechts ab und läuft weiter bis zur nächsten Ecke. Dort biegt er nach links ab, krabbelt weiter und biegt bei der nächsten Ecke wieder nach links ab. An der nächsten Ecke bleibt er stehen.

b) Der Käfer startet bei H und läuft nach unten. An der Ecke biegt er nach links ab und krabbelt weiter bis zur nächsten Ecke. Dort krabbelt er nach oben. An der Ecke wendet er sich nach rechts. An der nächsten und der übernächsten Ecke biegt er jeweils nach links ab. An der folgenden Ecke bleibt er stehen.

2 Der Käfer in der Abbildung von Aufgabe **1** startet an der Ecke E, läuft nach F, anschließend über B zu C.

a) Wie lang ist sein Weg?

b) Welche anderen Wege von E nach C sind genauso lang?

c) Finde ein Beispiel für zwei andere Wege, die jeweils gleich lang sind.

Seite 37 Aufgabe 2
a) ...

3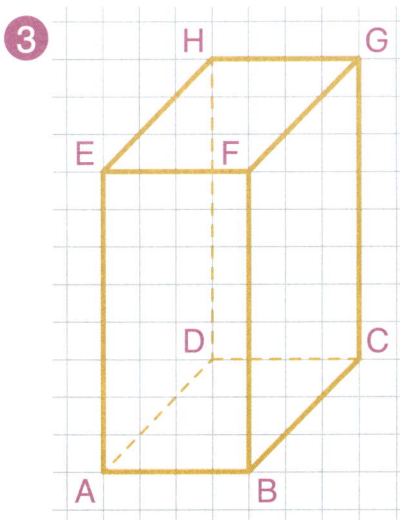

Übertrage das Kantenmodell des Quaders in dein Heft und markiere …

… die vordere Ecke rechts oben rot.

… die Kante rechts unten blau.

… die Kante rechts hinten grün.

… die Kante oben hinten gelb.

… die hintere Ecke links unten orange.

Seite 37 Aufgabe 3
...

* orientieren sich im Kantenmodell von Würfel und Quader

Den Umfang von Figuren bestimmen

1. Miss die Längen der Seiten und bestimme den Umfang jeder Figur.

Seite 38 Aufgabe 1

A: u = ...

B: ...

2. Bestimme den Umfang jeder Figur.
Zeichne dann im Heft jeweils eine weitere Figur mit gleichem Umfang.

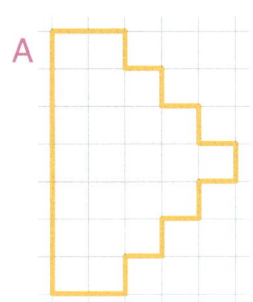 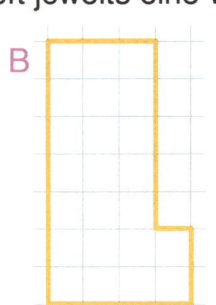 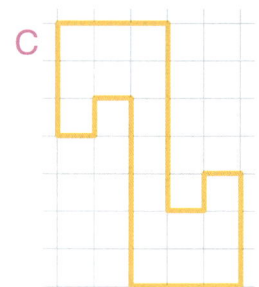

Seite 38 Aufgabe 2

A: ...

3. Lege mit Streichhölzern möglichst viele verschiedene Figuren ...

a) ... mit einem Umfang von 8 Streichhölzern.

b) ... mit einem Umfang von 12 Streichhölzern.

★ bestimmen und vergleichen den Umfang ebener Figuren
★ finden Aufgaben durch Variation oder Fortsetzung gegebener Aufgaben

Flächeninhalte bestimmen und vergleichen

1 Zähle, wie viele Kästchen in die einzelnen Figuren passen, und bestimme so den Flächeninhalt jeder Figur.

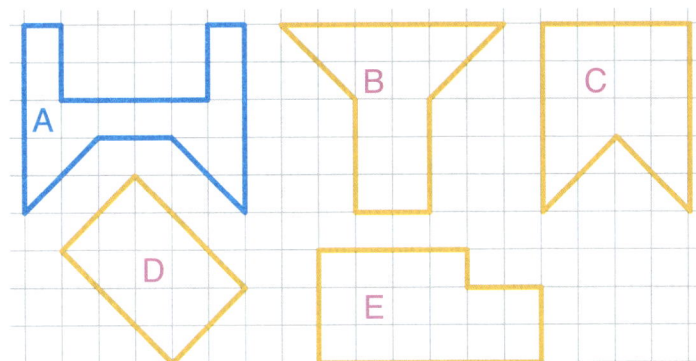

Seite 39 Aufgabe 1

A: 14 Kästchen

B: ...

Der Flächeninhalt gibt an, wie groß die Fläche einer Figur ist. Der Flächeninhalt von A beträgt 14 Kästchen.

2 Berechne den Flächeninhalt.

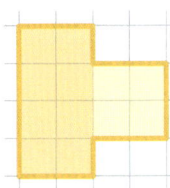

Aus einer Fläche mache ich in Gedanken zwei. Dann kann ich den Flächeninhalt berechnen.

$4 \cdot 2 + 2 \cdot 2 = 8 + 4 = 12$

Seite 39 Aufgabe 2

A: ...

Teile die Figuren in Teilflächen auf.
Bestimme wie Lea für jede Figur die Anzahl der Kästchen.

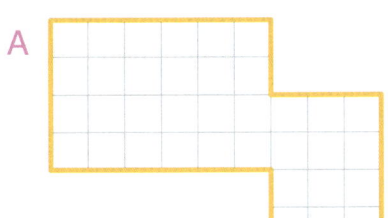
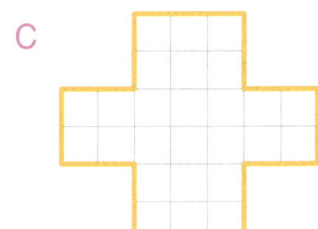

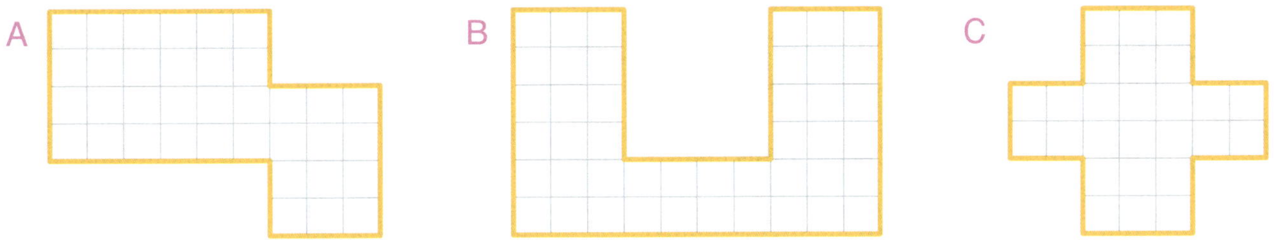

3 Bestimme die Anzahl der Kästchen für jede Figur.
Zeichne Rechtecke mit gleich großen Flächeninhalten.

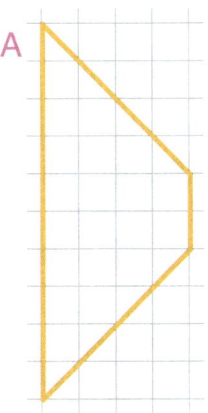
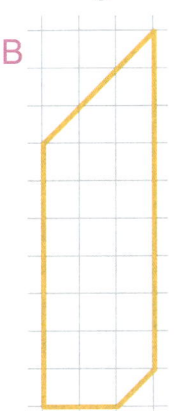
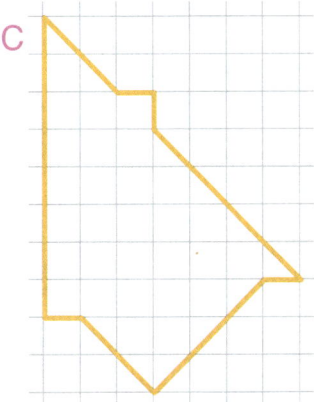

Seite 39 Aufgabe 3

A: ...

→ Ü Seite 55

*bestimmen und vergleichen den Flächeninhalt ebener Figuren
*finden Aufgaben durch Variation oder Fortsetzung gegebener Aufgaben

Umfang und Flächeninhalt bestimmen

Ein Quadrat mit der Seitenlänge 1 cm heißt Quadratzentimeter.
Ein Quadrat mit der Seitenlänge 1 m heißt Quadratmeter.

1 Hier siehst du Teile auseinandergeschnittener Rechtecke.

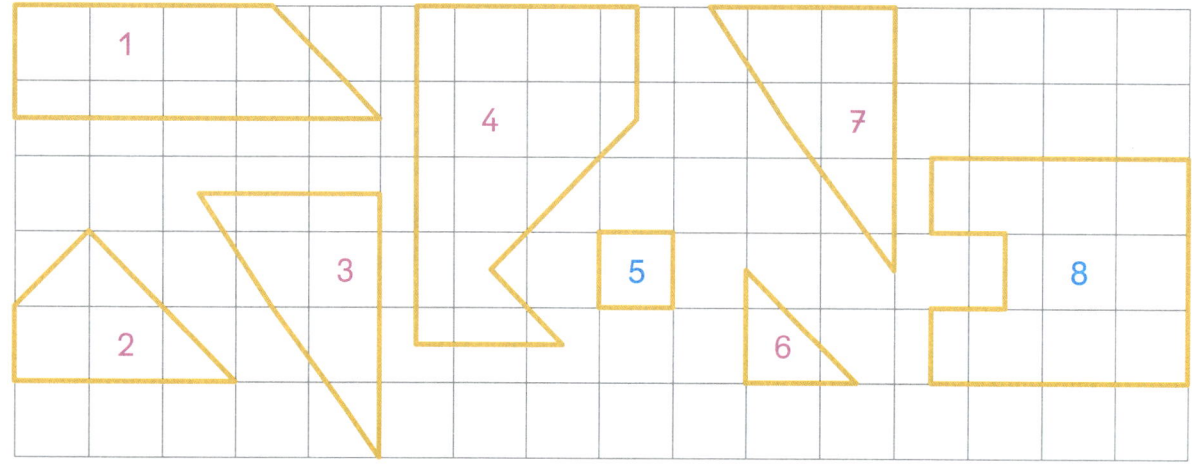

a) Bestimme jeweils die beiden Teile, die zusammen ein Rechteck ergeben.

b) Zeichne diese Rechtecke in dein Heft.

c) Bestimme den Umfang der Rechtecke in Zentimetern.

d) Bestimme die Flächeninhalte der Rechtecke in Quadratzentimetern.

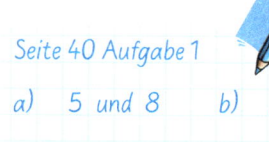

Seite 40 Aufgabe 1
a)   5 und 8   b)   ...

2 Bestimmt gemeinsam mit anderen Kindern die Fläche eines Raums oder des Flurs eurer Schule.

Stellt aus Zeitungspapier Quadrate mit der Seitenlänge 1 m her.

Legt den Raum mit diesen Quadraten aus.

Stellt die ungefähre Flächengröße in Quadratmetern fest.

Sprecht über eure Ergebnisse.

* übertragen Vorgehensweisen und Erkenntnisse auf ähnliche Sachverhalte und erweiterte Aufgabenstellungen

* bearbeiten komplexere Aufgabenstellungen gemeinsam, kooperieren und kommunizieren

→ AH Seite 69